*À Claude*

# MAIGRIR
## avec la cuisine
# VÉGÉTARIENNE

Maquette de la couverture:
Denis Beaudoin

ISBN 2-7604-0129-4

Dépôt légal: 2ᵉ trimestre 1981          81 82 83 84 85     1 2 3 4 5

# MAIGRIR

Vicki Chelf Hudon

## avec la cuisine

## VÉGÉTARIENNE

Traduit par Danielle Soucy

Stanké

Montréal-Paris

# Table des matières

# Préface

J'ai connu Vicki, il y a près d'un an, à l'occasion d'un colloque sur le végétarisme à Québec. J'ai eu l'occasion de la visiter dans sa jolie maison de Val-David et de fureter dans son « Pommier Fleuri », ce petit magasin d'aliments sains où l'on trouve plein de bonnes et belles choses. J'ai aussi goûté quelques-uns des petits plats de Vicki et partagé son enthousiasme face à la cuisine végétarienne qui offre tant de possibilités. Enfin, avec Vicki, j'ai bien senti que le végétarisme n'est pas seulement une façon de s'alimenter, mais aussi toute une façon de vivre... et de vivre bien.

Ceci étant dit, vous comprendrez donc tout le plaisir que m'a fait Vicki en m'offrant de rédiger cette préface.

À l'heure où naissent tant de régimes miracle qui n'ont de miraculeux que l'attrait qu'ils exercent, et à l'heure où naissent tant de livres de recettes de toutes sortes, une première réaction face au titre *Maigrir avec la cuisine végétarienne* pourrait être de dire: « Tiens, encore un autre! » On y perdrait beaucoup à ne pas y regarder de plus près.

Le livre de Vicki ne prétend pas donner de solution-miracle aux kilos superflus, pas plus qu'il ne prétend se substituer à des conseils professionnels. Il s'agit plutôt d'un guide de menus équilibrés dont le nombre total de calories est suffisamment limité pour favoriser une perte de poids raisonnable. En tant que guide, il laisse donc la place à une adaptation en fonction des individus. Ainsi, rien ne s'opposerait non plus à ce que ceux qui désirent maintenir leur poids ajustent simplement leurs portions pour y arriver.

Il est vrai que *Maigrir avec la cuisine végétarienne* est un autre livre de recettes. Toutefois, il a ceci de particulier: il présente une foule de recettes originales que Vicki a élaborées elle-même, en les voulant dignes de la grande cuisine végétarienne minceur. C'est donc un livre de trouvailles fort intéressantes, tant pour les adeptes du végétarisme que pour tous ceux qui ont le goût d'essayer du nouveau.

Je soupçonne que vous avez hâte de prendre connaissance du texte proprement dit. Aussi, je ne vous retiendrai que le temps d'une petite mise en garde: souvenez-vous que les abus en cuisine végétarienne minceur sont aussi nocifs qu'en toute autre cuisine...

Bonne lecture et... bon appétit!

*Danielle Massé, diététiste.*

# Remerciements

Je n'ai pu réaliser ce livre que grâce à la collaboration de quelques amis. Je tiens donc à remercier Jackie Chelf Wheeler, pour avoir bien voulu dactylographier le manuscrit; Danielle Soucy, traductrice, pour son travail consciencieux et dévoué; Christina Kresh, pour m'avoir aidée à réviser le manuscrit; Danielle Massé, pour ses précieux conseils de diététiste; Alain Stanké, pour m'en avoir donné l'idée, et tout particulièrement Claude Hudon, mon mari, ami et associé, pour avoir bien voulu me remplacer au travail afin que je puisse me consacrer uniquement à la rédaction de ce livre.

Je dois aussi des remerciements chaleureux à Kathleen Sunderhaus qui, il y a déjà plusieurs années, m'apprit à faire cuire du pain et du riz brun; et à son frère, Joseph O'Connor, qui me fit découvrir le jogging. À tous ceux, enfin, qui, avec patience et affection, m'ont enseigné l'art de mieux vivre.

# Santé égale beauté

Si on vous offrait le choix entre une beauté totale, resplendissante, et la simple minceur, que choisiriez-vous? La première possibilité, bien sûr. Évidemment, la beauté ne va pas sans la minceur. L'embonpoint, les bourrelets disgracieux, l'obésité ne peuvent pas être synonymes de beauté. Cependant, la mode de la minceur — de la maigreur, devrait-on dire plutôt — qui fait rage à notre époque donne souvent lieu à des excès. Nous ne sommes pas tous faits pour ressembler à des mannequins de haute couture, filiformes et décharnés. Obnubilés par ce stéréotype trompeur, bien des gens ruinent littéralement leur santé en suivant toutes sortes de régimes amaigrissants aux indications excessives et dangereuses; d'autres n'hésitent pas à recourir à des amphétamines ou à des anorexiques de tout genre et, parfois même, à des opérations chirurgicales à l'intestin.

Dans cette pléthore de régimes miracle, il en est un, encore très en vogue, qui comporte de très grands risques pour la santé: c'est le régime riche en protéines et pauvre en hydrates de carbone. Comme son nom l'indique, il met l'accent sur la consommation d'aliments à haute teneur en protéines (viande, poisson, etc.) tout en interdisant les hydrates de carbone, c'est-à-dire les aliments qui en contiennent beaucoup, comme les céréales ou les fruits. En raison de la popularité de ce régime il fait effectivement perdre du poids, pour un certain temps du moins), les hydrates de carbone ont acquis, ces dernières années, une fort mauvaise réputation, totalement injustifiée. En effet, nous avons besoin des hydrates de carbone pour être en forme, car ce sont eux qui nous fournissent l'énergie. Ne vous êtes-vous jamais demandé pourquoi vous vous sentiez si fatigué lorsque vous suiviez un régime? Cette sensation de fatigue si fréquente résulte directement, dans bien des cas, d'une déficience en hydrates de carbone. Les hydrates de carbone sont si essentiels à notre organisme que celui-ci, dans sa mécanique perfectionnée, transforme les excès de protéines en hydrates de carbone.

D'autre part, la consommation excessive de protéines peut être néfaste. Selon le docteur Paavo Airola, « toutes essentielles qu'elles puissent être, les protéines peuvent s'avérer extrêmement nuisibles lorsque la quantité consommée excède les besoins réels. La surconsommation de protéines laisse dans les tissus des résidus métaboliques toxiques, entraîne l'autotoxémie, l'hyperacidité et des déficiences alimentaires, provoque une accumulation d'acide urique et la putréfaction intestinale; (elle) contribue au développement de plusieurs maladies parmi les plus fréquentes et les plus graves: arthrite, pyorrhée, schizophrénie, troubles rénaux, ostéoporose, artériosclérose, maladie cardiaque et cancer. Un régime trop riche en protéines cause également un vieillissement prématuré et diminue l'espérance de vie. »[1] De plus, comme nous le verrons en détail dans un autre chapitre, la surconsommation de protéines est désastreuse au point de vue écologie. Enfin, contrairement aux aliments contenant des hydrates de carbone, les aliments riches en protéines, comme la viande et le poisson, renferment peu de vitamines et de minéraux. Autrement dit, le régime *riche en protéines* est, par le fait même, *pauvre en vitamines*.

Le régime à haute teneur protéinique est également dépourvu d'un autre élément important: les fibres alimentaires. La viande n'en contient pas. Quant à la laitue, concession généralement permise, elle ne compte pas parmi les meilleures sources. Les fibres alimentaires ont pour fonction d'activer le fonctionnement des intestins. Un organisme qui en est privé a de la difficulté à évacuer les selles. On ne peut pas être en santé quand on souffre de constipation et qu'on se sent constamment ballonné, gonflé. La constipation, c'est un fait reconnu, joue un rôle dans le développement de plusieurs maladies dont la colite, la diverticulite et le cancer de l'intestin. Inutile d'ajouter qu'une personne constipée de façon chronique aurait peine à rayonner de beauté! Lorsque les toxines de l'organisme ne peuvent pas être éliminées de façon normale, elles emprun-

(1) AIROLA, Dr Paavo: *Every Woman's Book*, Health Plus Publishers, Phoenix, États-Unis, 1979, p. 71.

tent une autre voie, c'est-à-dire celles des pores, d'où éruptions cutanées, acné et teint terne et malsain. La constipation est aussi l'une des principales causes des varices. Le régime végétarien, contrairement aux autres régimes amaigrissants, est extrêmement riche en fibres alimentaires et en vitamines, toutes deux essentielles à la santé et à la beauté.

Le régime riche en protéines fait perdre du poids, c'est vrai. Mais vaut-il la peine de maigrir si, au bout du compte, on se retrouve avec une peau terne, une sensation perpétuelle de fatigue et un manque total d'énergie? La minceur n'est pas toujours synonyme de beauté: la santé, oui. Les gens véritablement en bonne santé sont si rares qu'ils ne passent jamais inaperçus: leur rayonnement, leur éclat attirent toujours les regards. Peut-être pensez-vous que vous ne pourrez jamais être beau ou belle parce que vous avez un gros nez ou que vos traits ne sont pas réguliers? Détrompez-vous. La peau resplendissante, les yeux brillants, la chevelure lustrée et la vitalité qui se dégagent d'une personne en parfaite santé valent mille fois plus qu'un nez droit.

Outre la fatigue et l'état piteux dans lequel ils vous laissent, les régimes amaigrissants populaires ont presque toujours des effets de courte durée. Les kilos si durement perdus ne tardent pas à se réinstaller. Privé des éléments nutritifs essentiels à son bon fonctionnement, votre organisme réagira par une demande accrue, un besoin insatiable de nourriture, si bien qu'en peu de temps vous vous retrouverez au même poids qu'avant, et tout sera à recommencer.

Si vous avez suivi d'autres régimes sans obtenir de succès durables, pourquoi ne pas essayer le régime végétarien? Visez d'abord la SANTÉ: beauté et minceur suivront tout naturellement.

# Risques et inconvénients de l'obésité

Ce n'est pas drôle d'être gros. Je le sais. J'ai connu cela quand j'étais petite fille. Aujourd'hui encore, j'ai un pincement au cœur quand je songe à ces années-là et à l'humiliation que je ressentais lorsque j'étais toujours la dernière à être choisie dans les équipes de jeu parce que j'étais « la grosse ». Je me souviens en particulier d'un jour d'été ensoleillé où ma cousine préférée était venue me rendre visite. Ce jour-là, étendue sur le sofa, je sanglotai éperdument sur mon sort, désespérée: pourquoi était-elle si mince et moi si grosse? À neuf ans, on ne peut pas comprendre ces choses-là.

L'obésité est source de problèmes à tous les plans. En plus de devoir supporter leur handicap physique, les personnes obèses ne peuvent jamais trouver de beaux vêtements à leur taille et, dans la plupart des cas, elles sont trop timides pour faire du sport. Leur vie sociale est jonchée de difficultés. Quand vos amis décident d'aller patiner ou faire un tour dans une discothèque, vous avez le choix: ou vous les suivez en faisant le clown toute la soirée pour masquer votre embarras ou votre solitude (« les gros sont tellement drôles! ») ou vous restez à la maison en essayant de vous convaincre que vous ne manquez rien. Faut-il ajouter que les relations avec l'autre sexe s'en ressentent? Les obèses ont, enfin, plus de difficultés à se trouver de l'emploi, et ils semblent être plus sujets à avoir des accidents.

Inutile d'allonger la liste: si vous souffrez d'obésité, vous connaissez déjà tous ces désagréments et bien d'autres encore, sans doute. Ce que vous ignorez peut-être, ce sont les risques pour la santé qu'entraîne l'obésité. Si vous avez déjà souscrit une police d'assurance-vie, vous savez que les primes sont plus élevées pour ceux qui présentent un embonpoint marqué:

les statistiques démontrent, en effet, que les personnes dont le poids se situe au-dessus de la normale ont une espérance de vie moindre. L'obésité est associée à certaines maladies telles que le diabète, les attaques d'apoplexie et les maladies cardiaques. Les risques de complication pendant la grossesse sont plus élevés chez les femmes obèses. Enfin, l'obésité prédispose aux varices, à l'arthrite et à la goutte.[1] Si jamais vous avez envie d'abandonner votre nouveau régime, dans un moment de découragement, songez à tout ce qui vous attend au bout du chemin qui mène à la minceur...

(1) HAMILTON, Eva May, WHITNEY, Eleanor: *Nutrition concepts & Controversies*, St. Paul, Minnesota, West Publishing Co., 1979, p. 187.

# Les causes de l'obésité

L'obésité est un problème fort complexe comme en témoigne la somme impressionnante de livres qui ont été publiés sur le sujet. En fait, la régulation du poids est l'un des mécanismes physiologiques les moins connus. Les experts s'entendent cependant pour dire que l'obésité est principalement la conséquence d'un déséquilibre entre les calories qu'on absorbe et celles qu'on dépense. Autrement dit, les obèses consomment plus de calories qu'ils n'en dépensent. Les régimes amaigrissants sont donc conçus pour diminuer la quantité de nourriture absorbée, de sorte que l'individu dépense plus de calories qu'il n'en absorbe. Cette méthode recèle cependant un défaut majeur: elle ne s'attaque qu'au symptôme. Si vous avez un problème de poids, il faut d'abord et avant tout que vous essayiez de comprendre pourquoi vous absorbez plus de calories que vous n'en dépensez. Bref, vous devez chercher à éliminer la cause de votre embonpoint.

Nous sommes tous portés à croire que nous sommes des êtres uniques et, en un sens, nous n'avons pas tort. Chacun de nous a des besoins affectifs, intellectuels et physiques différents de ceux d'autrui. Nos besoins diffèrent également en ce qui a trait aux calories. Dans ce domaine, il n'y a pas de règles absolues. Il est possible, par exemple, qu'en consommant 2 000 calories par jour, une personne maigrisse, qu'une autre engraisse et qu'une troisième demeure au même poids. Cela dépend en grande partie de la taille, de la constitution physique et de l'activité de chacun. Les gens qui engraissent facilement rejettent souvent la faute sur leur système glandulaire. Effectivement, certains troubles glandulaires ou métaboliques peuvent entraîner l'obésité, mais la proportion des individus qui sont atteints de ces maladies demeure peu élevée. Néanmoins, si vous suivez sans faille un régime pauvre en calories et que votre poids continue d'augmenter, il serait sage de consulter votre médecin afin de déterminer si vous ne souffrez pas d'un déséquilibre glandulaire.

Selon certains chercheurs, l'obésité serait attribuable à une anomalie du mécanisme qui règle l'appétit. Certaines personnes continueraient de manger même après que leurs besoins physiologiques sont comblés parce que leur cerveau ne reçoit pas le message indiquant que la faim est assouvie. On dit aussi que certains individus, au lieu de répondre à des signaux internes de la faim, réagissent, sans pouvoir y résister à des facteurs externes tels que la proximité de la nourriture ou le goût des aliments. Si cela semble être votre cas, certaines pratiques peuvent vous aider à neutraliser ces problèmes: prenez le temps de vous préparer un plat attrayant, qui comblera tous vos sens, et mangez lentement. Nous reviendrons plus tard sur ce genre de conseils pratiques.

La théorie des « cellules adipeuses » propose une autre explication. Si vous faisiez de l'embonpoint lorsque vous étiez bébé ou adolescent, il est possible que vous possédiez plus de cellules adipeuses que l'individu moyen. Suivant cette théorie, ces cellules ne disparaissent pas sous l'effet d'un régime amaigrissant; elles s'atrophient simplement et restent dans l'organisme en attendant d'être nourries à nouveau, ce qui accroît l'appétit. Le docteur Paavo Airola soutient que la seule façon de se débarrasser de ces cellules adipeuses est d'entreprendre un jeûne prolongé. Si vous souffrez d'obésité depuis l'enfance, vous devriez songer à cette solution. Le jeûne prolongé doit cependant être pratiqué sous la surveillance d'un médecin ou d'une clinique réputée.

Certains croient que l'obésité est un phénomène héréditaire, mais il semble plus probable qu'on puisse hériter d'une *tendance à l'obésité*. On peut se demander si les mauvaises habitudes alimentaires que des parents obèses transmettent à leurs enfants ne jouent pas un rôle encore plus déterminant que l'hérédité physiologique.

L'activité ou, pour être plus juste, le manque d'activité demeure incontestablement l'un des facteurs principaux de l'obésité. Ce n'est pas tant ce que nous absorbons que ce que nous dépensons qui compte. Il est tout à fait possible qu'une personne obèse mange moins qu'une personne mince. Elle mange moins... mais elle est aussi moins active. Si vous comptez dans votre entourage un athlète qui s'adonne aux sports d'endurance (coureur de marathon, nageur ou skieur de fond), vous savez sans doute quelles assiettées monstres il peut engouffrer aux repas sans que cela ajoute le moindre kilo à sa minceur de rêve.

Les exercices qui accroissent l'endurance cardio-vasculaire, tels la course et le ski de fond, se classent également au premier rang du point de vue de la dépense énergétique. Plus l'activité est vigoureuse, plus la dépense calorique augmente. Ainsi, vous dépenserez plus de calories si vous courez un mille en huit minutes que si vous couvriez la même distance en marchant.

Il est presque impossible de souffrir d'un excédent de poids si on est en forme du point de vue cardio-vasculaire. Retenez bien ceci: le poids en kilo est moins important que la proportion de tissus adipeux. Idéalement, les tissus adipeux devraient représenter environ 18 p.cent du poids corporel chez l'homme et 22 p.cent chez la femme. Du point de vue médical, on considère qu'il y a obésité lorsque les tissus adipeux représentent de 25 à 30 p.cent du poids corporel chez les hommes et de 30 à 35 p.cent chez les femmes. Ainsi, il se peut fort bien qu'une personne dont le poids (par rapport à la taille) est inférieur aux normes ait en même temps un excès de tissus adipeux; inversement, on peut à la fois se situer au-dessus de la normale pour ce qui est du poids et en-dessous pour ce qui regarde les graisses corporelles. Voici une façon fort simple de vérifier si votre bilan de graisses est positif ou négatif: tendez le bras à l'horizontale et pincez, entre le pouce et l'index, la chair de votre bras, dans le prolongement de l'aisselle. L'épaisseur du tissu devrait se situer entre un demi-pouce et un pouce; au-delà, c'est un indice d'obésité. Comme le dit Convert Bailey, auteur de *Fit or Fat*, « débarassez-vous de votre pèse-personne et cessez de chercher à atteindre le poids idéal: visez d'abord la santé. » Prenez votre pouls chaque matin: c'est une excellente façon de vérifier l'amélioration progressive de votre forme physique.*

Le docteur Eric Newsholmes, de l'Université d'Oxford, soutient qu'un organisme habitué à l'exercice acquiert la faculté de dépenser des calories même au repos, probablement par la production de chaleur. Lorsque l'athlète vient de fournir

---

*Le pouls diminue avec l'amélioration de la condition physique.

un effort soutenu, l'engrenage continue de tourner, ce qui maintient la dépense énergétique. Ce phénomène, affirme le chercheur, pourrait persister pendant deux ou trois jours après l'exercice, parfois même plus longtemps.[1] De l'avis d'un chercheur suédois, Per Bjorntrop, on peut même arriver à modifier ou à « réhabiliter » son métabolisme par l'exercice. Vous avez le droit d'être sceptiques, mais une chose est certaine: les athlètes ne sont jamais obèses!

La malnutrition constitue un autre facteur de l'obésité. Cela vous semble paradoxal, voire absurde? C'est pourtant la triste vérité. La malnutrition n'est pas l'apanage des pays du Tiers-Monde. On peut à la fois souffrir d'obésité et de malnutrition; on peut même manger tous les soirs un steak de première qualité et présenter des carences alimentaires. N'avez-vous jamais songé que si vous mangiez trop, c'était parce que votre corps cherchait désespérément à se NOURRIR au sens véritable du terme? Manger, ce n'est pas seulement se remplir l'estomac: c'est fournir à l'organisme les éléments nutritifs dont il a besoin. Or, le régime alimentaire type des Nord-Américains, composé en majeure partie de viandes et de produits raffinés, peut fort bien entraîner des carences en vitamines et en minéraux. La viande et le poisson, comme nous l'avons souligné précédemment, sont riches en protéines, mais pauvres en vitamines. En fait, la quantité de vitamines et de minéraux fournies par les plantes est plus que deux fois supérieure à celle de la viande et du poisson[2]. « Je mange des légumes, répondrez-vous peut-être. Je ne peux donc pas souffrir de malnutrition. » Pas vraiment. D'où viennent ces légumes? Comment ont-ils été cultivés? Comment les a-t-on apprêtés? De nos jours, grâce aux progrès de la technologie, les comptoirs des supermarchés nous offrent des tomates et des concombres en décembre et des fraises au mois de février. Agréable, n'est-ce pas, cette abondance en toutes saisons? Certes, mais ne vous y laissez pas prendre: ces légumes et ces fruits hors saison sont aussi dénués de valeur nutritive que de saveur. En effet, les produits agricoles cultivés dans des sols pauvres fertilisés à

---

(1) SHEEHAN, Dr George: « Medical Advice », dans *Runners World*, novembre 1980, p. 99.

(2) MOORE LAPPÉ, Frances: *Diet for a small planet*, Ballantine Books, New York, 1971.

grand renfort d'engrais chimiques sont devenus monnaie courante. Or, il est prouvé que ces aliments sont inférieurs en qualité nutritive à ceux qui ont été cultivés dans un sol riche, amendé avec du compost. « Par exemple, en 1940, il était courant que le blé du Kansas fournisse 17 p.cent de protéines. En 1951, onze ans plus tard, le même blé ne contenait pas plus de 14 p.cent de protéines et se situait plutôt entre 11 et 12 p.cent. »[1] Si vous achetez ces légumes de piètre qualité, cultivés de façon artificielle, que vous ayez à les peler, puis à les faire cuire à outrance pour avoir ensuite à jeter l'eau de cuisson, que vous reste-t-il au point de vue nutritif? Pas grand'chose, hélas!

Si vous avez un problème de poids, vous ne mangez probablement pas de pain, de haricots, de noix ou de graines. C'est dommage, car vous vous privez d'une source essentielle de vitamine E et de vitamines du groupe B. Le pain et les céréales forment, depuis des temps immémoriaux, la base de l'alimentation humaine. Pourquoi l'être humain s'en passerait-il tout à coup? Entendons-nous. Quand je dis pain, je ne parle pas de cette chose molle, fade, gonflée et sans valeur nutritive qu'on a la prétention de faire passer pour du pain. Non. Je parle de vrai pain de grain entier (non pas seulement de « pain brun ») fabriqué uniquement avec les meilleurs ingrédients. Le régime végétarien met l'accent sur la qualité des aliments. Vous apprendrez à ne choisir que les produits les plus sains, les plus entiers et les plus nourrissants possible. C'est important quand chaque calorie compte!

Une foule de gens, particulièrement les femmes et les personnes âgées, mangent pour se désennuyer. En raison de notre niveau de vie élevé, la lutte pour la survie n'est plus pour la majorité d'entre nous une préoccupation majeure. Cependant, plutôt que de favoriser l'épanouissement des individus, cette abondance engendre souvent des problèmes comme l'obésité. De grâce, ne vous laissez pas prendre au piège! Le temps que nous avons à passer sur terre est précieux: faites-en bon usage et jouissez de tous les instants qui vous sont donnés.

---

(1) MOORE LAPPÉ, Frances: *Sans viande et sans regrets*, Éditions l'Étincelle, Montréal, 1976, p. 37.

Le sport est une façon particulièrement agréable d'occuper ses loisirs. Vous trouverez sûrement celui qui vous convient. Il y a des sports pour toutes les bourses, tous les tempéraments et tous les climats, depuis la simple course à pied, qui ne vous coûtera que le prix d'une paire de chaussures, jusqu'aux plaisirs plus dispendieux de la voile et de l'équitation. Si, pour une raison quelconque, vous ne pouvez quitter la maison, faites du hatha-yoga ou encore fermez les rideaux, mettez un disque et dansez! Enrichissez vos connaissances: apprenez une langue étrangère ou inscrivez-vous à un cours. Découvrez l'artisanat, la poterie, l'ébénisterie, le vitrail. Commencez un potager; initiez-vous au monde des plantes et des fleurs; ouvrez les yeux sur les beautés de la nature. Apprenez à méditer: le monde qui vit en vous est peut-être le plus bel univers à découvrir. Au lieu de prendre un morceau de gâteau, prenez une guitare ou un autre instrument de musique et défoulez-vous. Bref, FAITES QUELQUE CHOSE, n'importe quoi, du moment que cela vous intéresse, vous, comme individu, en dehors des tâches et des obligations de la famille, du travail et de la maison. Vous n'êtes pas obligé de briser le record du marathon ou de devenir pianiste de concert: faites-le pour vous, pour le simple plaisir d'être bien vivant, ici sur terre, au moment présent. Si vous portez un intérêt réel au monde qui vous entoure, vous n'aurez jamais le temps de vous ennuyer, de vous sentir seul ou de vous morfondre sur l'injustice de la vie.

Si certains mangent pour tromper leur ennui, d'autres au contraire engraissent parce qu'ils travaillent trop et ne prennent pas le temps de s'arrêter pour manger un bon repas. Vous connaissez sûrement un de ces grignoteurs distraits qui ont toujours quelque chose dans la bouche... Si vous êtes un de ces hyperactifs qui ne prennent jamais le temps de s'asseoir pour bien manger, vous seriez probablement ahuri de voir réunis sur une table tous ces « petits riens » que vous avez grapillés au cours d'une journée, et sûrement impressionné par le nombre de calories qu'ils représentent. Trouvez le temps de vous arrêter pour vous mettre à table: il y va de votre santé. Quelles que soient vos responsabilités ou l'importance de vos fonctions, imposez-vous cette halte indispensable. Si vous voulez vraiment demeurer efficace au travail, mieux vaut vous arrêter une heure par jour pour bien manger que vous absenter des semaines pour cause de maladie.

Quand vous aurez appris à prendre le temps de bien manger et à soigner votre corps, vous serez surpris des changements qui se produiront en vous. Vous verrez plus clair en vous et autour de vous, et vous aurez beaucoup plus de facilité à accomplir vos tâches quotidiennes. La nourriture nous donne de l'énergie; une alimentation d'une valeur nutritive optimale nous aide à mieux travailler. Trop manger, cependant, produit l'effet contraire, c'est-à-dire une perte d'énergie et une sensation de lourdeur qui nuit à l'efficacité. Songez-y la prochaine fois que vous aurez envie de manger une friandise pour vous aider à surmonter une difficulté.

Votre problème de poids est peut-être causé par ce que je serais tentée d'appeler le « syndrome de la poubelle ». Votre famille refuse de manger les restes et, comme vous avez une sainte horreur du gaspillage, vous finissez les assiettes. Hélas, vous n'économisez rien de cette façon, bien au contraire. On gaspille autant en bourrant un estomac déjà plein qu'en remplissant une poubelle. Votre organisme ne peut tout simplement pas assimiler cette nourriture supplémentaire. De plus, vous fatiguez votre système digestif en lui imposant un surcroît de travail inutile. La solution est simple: au lieu de vous attaquer aux restes, essayez d'éliminer ceux-ci de vos repas. Ne préparez que ce qu'il faut, rien de plus. Si cela ne fonctionne pas, pourquoi ne pas adopter un chien perdu? Si vous ne le gâtez pas avec de la nourriture en conserve, il dévorera avec plaisir ce que vous lui offrirez. Vous pouvez aussi commencer un tas de compost: au lieu de se gaspiller, vos restes se transformeront en un riche engrais.

Enfin, certaines personnes mangent pour combler un vide affectif ou des besoins inassouvis. Pareil comportement remonte généralement à l'enfance, à un manque d'amour de la part des parents ou à leur incapacité de l'exprimer. Combien de parents, par négligence, offrent de la nourriture à leurs enfants lorsqu'ils veulent les récompenser ou les consoler?

Les problèmes affectifs ou psychologiques qui entraînent la boulimie sont évidemment plus complexes que notre exposé ne le laisse entendre. Toutefois, les meilleures solutions sont souvent les plus simples. Voir les choses d'un œil positif; aimer le monde qui nous entoure et s'y intéresser: oui, cela peut faire des merveilles dans la vie d'un être humain. Il faut parfois se secouer pour se réveiller, sinon on s'enfonce dans un bourbier de pessimisme qui nous fait voir les choses pires qu'elles ne le sont en réalité.

Se contraindre, au prix d'efforts pénibles et répétés, à suivre un régime amaigrissant n'est pas seulement une discipline difficile et frustrante, mais il est rare qu'elle produise les résultats escomptés.

La meilleure façon sans doute de vaincre ces difficultés est de prendre conscience de ses désirs et de reconnaître ce qui les a déclenchés. Essayez de vous observer vous-même avec impartialité, comme si vous étiez en train de regarder un film. Bien sûr, cela n'est pas toujours facile. La nourriture peut agir comme une drogue: elle procure une jouissance sensuelle et endort momentanément les pensées. Mieux vaut, en définitive, céder à la tentation de temps à autre et profiter de l'occasion pour mieux se comprendre que passer la journée à repousser mentalement une invasion de biscuits au chocolat.

Si vous avez vraiment un désir effréné de manger quelque chose qui est mauvais pour vous, allez-y, cessez de lutter, mais faites-le en toute conscience. Essayez de vous rappeler quel événement ou quelle pensée a suscité votre désir de manger. Une discussion? Des soucis matériels? Un surcroît de travail? La solitude? Une publicité à la télévision? Quand on se sent bien dans sa peau, on ne souhaite pas consciemment se faire du mal; alors, efforcez-vous de découvrir ce qui vous rend malheureux ou insatisfait.

Allez plus loin encore dans votre prise de conscience. Quand vous cédez délibérément à un désir de friandise, soyez à l'écoute de votre corps et concentrez-vous sur le goût des aliments. Supposons que vous ayez une envie tout à fait irrésistible de manger des biscuits au chocolat. Vous sortez le sac, prêt à le manger en entier. Le premier biscuit vous semble un pur délice. Au troisième, votre satisfaction est déjà moins vive: le goût vous paraît moins agréable. Si vous continuez cet exercice de conscience, il y a de fortes chances qu'au cinquième ou au sixième biscuit, vous commenciez à trouver ceux-ci quelconques, pour ne pas dire franchement mauvais.

N'oubliez pas votre corps: c'est à lui que vous imposez cette charge de nourriture. Comment vous sentez-vous après votre fringale? Amorphe, lourd, sans énergie? Avez-vous des gaz, des maux d'estomac? Vos vêtements vous paraissent-ils trop serrés tout à coup?

Ne vous mettez pas en colère contre vous-même: continuez de poser sur vous-même le même regard lucide, mais ne vous complaisez pas dans la culpabilité et les remords. Vous avez déjà fait un grand pas dans la bonne direction en observant le mécanisme qui déclenche votre désir de nourriture et l'état physique qui s'ensuit. Au fait, l'ennui ou le problème qui a suscité votre geste a-t-il disparu?

Au bout d'un certain temps, vous commencerez peut-être à voir la situation avec humour: brownies, biscuits au chocolat et friandises, jadis irrésistibles, perdront peu à peu tout attrait.

# Le végétarisme: bien plus qu'un régime amaigrissant

La plupart des régimes amaigrissants consistent uniquement en une série de menus créés et rassemblés en fonction d'un seul critère: respecter une certaine limite quant au nombre de calories et d'hydrates de carbone. En cela, notre livre ne fait pas exception à la règle: il comporte des recettes et des menus qui vous guideront dans l'apprentissage du régime végétarien. Cependant, ils sont loin de former l'essence du végétarisme.

Dans son sens le plus strict, le végétarisme est une doctrine diététique qui exclut la viande de l'alimentation. Cependant, plus vous progresserez dans cette voie, plus vous découvrirez que le végétarisme constitue véritablement une philosophie, un art de vivre. Le végétarisme met l'être humain en relation avec l'univers; c'est une façon de vivre en harmonie avec la terre et dans le respect de cette vaste nature dont nous ne sommes qu'une partie infime.

Ainsi, il y a de fortes chances que le végétarien soit un non-fumeur, qu'il cultive un jardin organique et qu'il fabrique lui-même son compost; il refusera probablement les sacs de papier inutiles dans les magasins et, lorsque c'est possible, il ira travailler à pied ou à bicyclette. Les végétariens sont beaucoup plus sensibilisés aux questions de nutrition que la moyenne des gens, et il est très rare qu'on trouve des obèses parmi eux.

On peut s'étonner qu'un simple régime alimentaire ait autant d'incidences sur la vie quotidienne. L'explication surgit naturellement lorsqu'on comprend les raisons pour lesquelles, un jour, certaines personnes prennent la décision de ne plus manger de viande. Les questions de goût personnel ont généralement très peu d'influence sur la décision. En fait, la plupart des végétariens d'Amérique du Nord ont été élevés, comme vous et moi, dans le culte de la viande, et ils se régalaient des boulettes de bœuf haché et du rôti de porc de leur mère. S'ils ont cessé de manger de la viande, ce n'est pas parce que, du jour au lendemain, le goût du bœuf ou du porc leur est devenu désagréable, mais bien parce qu'ils ont acquis une conviction personnelle fondée sur de nouvelles connaissances.

Certaines personnes délaissent la viande pour des raisons de santé. La consommation excessive de viande qui caractérise le régime alimentaire des pays industrialisés est un phénomène relativement récent puisqu'il a commencé il y a environ cinquante ans. Ce n'est pas une coïncidence si, au cours de la même période, la fréquence des maladies telles que le cancer et les maladies du cœur a monté en flèche. En 1980, 1,9 million de personnes sont mortes aux États-Unis; 1 091 284 d'entre elles (soit une proportion de 58,04 p.cent) sont mortes à la suite de maladies où le régime alimentaire joue un rôle déterminant, à savoir les maladies cardiaques, le cancer du sein et de l'intestin, les attaques d'apoplexie, le diabète, la cirrhose du foie, la néphrite et l'artériosclérose.[1]

Or, les aliments qui suscitent le plus d'inquiétude en rapport avec ces maladies sont la *viande* et le *gras animal;* puis viennent le sucre, les hydrates de carbone très raffinés, le sel et certains additifs.

Les peuples réputés pour leur longévité — Hunzas, Bulgares, Caucasiens et Indiens du Yucatan — observent traditionnellement un régime alimentaire pauvre en protéines, composé principalement de légumes, de fruits et de quelques produits laitiers, la viande étant réservée aux occasions spéciales, une fois ou deux par année. Est-ce là un pur hasard?

La viande et le poisson contiennent deux fois et demi plus d'insecticides chloridratés que les produits laitiers, mais à peu près *treize fois plus que la moyenne des autres catégories d'aliments.*[2] Cela peut sembler étrange puisque ce sont les

(1) HERSHAFT, Dr Alex: « The government should promote vegetarianism for Health », dans *Vegetarian Times,* juin 1980, p. 37.

(2) MOORE LAPPÉ, Frances: *Sans viande et sans regrets,* Éditions l'Étincelle, Montréal, 1976, p. 39.

fruits et les légumes et non les animaux qui sont recouverts de produits chimiques. L'explication est fort simple: lorsque l'animal mange des végétaux contenant eux-mêmes des insecticides, ceux-ci se logent dans les tissus adipeux de l'animal et s'y accumulent jusqu'au moment d'aboutir dans votre assiette, puis dans votre estomac.

Allaitez-vous votre enfant ou avez-vous l'intention de le faire? Vous devez savoir que les résidus d'insecticides que vous consommez passeront dans votre lait. Une étude effectuée en 1977 par l'*Environmental Defense Fund* a démontré que le lait des mères végétariennes contenait de *50 à 66 p.cent* moins de résidus d'insecticides que celui des femmes qui consommaient de la viande.[1]

Avez-vous des crampes menstruelles douloureuses? Les lacto-ovo-végétariennes en souffrent rarement. En effet, les crampes menstruelles sont fréquemment causées par une déficience en calcium. La viande contient 22 fois plus de phosphore que de calcium. Or, pour que le calcium soit bien assimilé par l'organisme, il faut que ces minéraux soient en équilibre.

La constipation est reconnue comme le principal facteur du cancer de l'intestin, entre autres maladies. Étant dépourvue de fibres alimentaires, la viande est l'un des aliments les plus constipants qui soient. Même si nous fournissons à notre organisme des aliments riches en fibres (le son, par exemple), la consommation de viande n'en demeure pas moins nocive. Le docteur William Visek, de l'Université Cornell, a en effet découvert que le processus de digestion de la viande entraîne la formation d'ammoniac, un gaz cancérigène qui irrite les parois de l'intestin, contribuant ainsi au développement du cancer.[2]

Un grand nombre d'athlètes, particulièrement les coureurs, ont adopté le régime végétarien parce que celui-ci améliore leur endurance et leur performance. Avec le concours d'athlètes en très grande forme, Per Olof Astrand, un chercheur, a effectué une expérience visant à déterminer la relation entre divers régimes alimentaires et le niveau d'endu-

---

(1) AIROLA, Dr Paavo: *Every Woman's Book*, Health Plus Publishers, Phoenix, États-Unis, 1979, p. 561.

(2) Id., p. 434.

rance. Les athlètes qui suivaient un régime pauvre en protéines et en graisse et riche en hydrates de carbone furent capables de subir pendant trois heures une épreuve d'endurance à bicyclette, alors que ceux qui avaient un régime riche en protéines durent abandonner au bout d'une heure.[1]

Enfin, comment peut-on vraiment vouloir manger la chair d'un vieil animal mort? Dès l'instant où un animal meurt, sa chair commence à pourrir. Certains croient que, biologiquement, l'être humain n'est pas destiné à se nourrir de viande. Le canal intestinal des animaux carnivores est court, ce qui permet à leur organisme d'éliminer très rapidement la chair en putréfaction, avant que celle-ci ne devienne toxique. Au contraire, l'être humain, à l'instar des herbivores, possède des intestins très longs. Nous n'avons pas non plus les longues canines pointues des carnivores: notre dentition ressemble plus à celle des chevaux qu'à celle des chiens.

L'être humain a le privilège de pouvoir choisir sa nourriture. N'est-il pas plus logique de préférer les aliments qui portent en eux la vie et l'énergie? Chaque graine, chaque haricot recèle le secret de la vie: placés dans des conditions propices, ils germeront. Les fruits et les légumes sont vivants, eux aussi. Des pommes de terre, un chou, des carottes oubliées dans un coin du garde-manger se mettront à pousser comme en pleine terre... Vous est-il jamais arrivé d'ouvrir un pamplemousse trop mûr et de voir les graines à l'intérieur en train de germer, prêtes à verdir? Qu'arriverait-il si on laissait un morceau de viande en dehors du réfrigérateur pendant deux ou trois jours?

Le végétarisme n'est pas justifié uniquement pour des raisons de santé. Conscients de la situation mondiale, sensibles à la misère de leurs frères humains, de plus en plus de gens abandonnent la consommation de viande pour des motifs d'ordre écologique, politique, économique, social et humanitaire. Cela peut, de prime abord, vous sembler exagéré: un régime alimentaire ne peut avoir des incidences politiques... Faux. En tant que consommateurs, nous devons prendre conscience des effets que nos habitudes alimentaires produisent dans le monde et comprendre qu'il est en notre

(1) KEEN, Sam: « The pure, the impure and the paranoid », *Psychology Today*, octobre 1978, p. 68.

pouvoir de changer ce qui nous semble injuste ou inacceptable.

Tout le monde conviendra que le problème de la faim dans le monde est une situation intolérable et tout à fait injuste. Or, nos habitudes alimentaires ont des répercussions directes sur la question.

Depuis quelque temps, les gens commencent à comprendre que les ressources de la planète ne sont pas inépuisables. Nos moyens de produire des vivres sont limités tout comme le sont les réserves de pétrole, par exemple. Bien sûr, nous savons que la faim existe dans le monde, mais, noyés comme nous le sommes dans une société d'abondance, nous avons peine à imaginer l'ampleur véritable du problème.

Au cours des années 70, 15 millions de personnes à travers le monde sont mortes chaque année de sous-alimentation ou à la suite de maladies entraînées par la malnutrition. De ce nombre, 75 p.cent étaient des enfants. Plus concrètement, cela signifie 41 000 morts par jour (un stade rempli à capacité) ou plus de 1 700 décès par heure.[1]

Nous avons tendance, en Amérique du Nord, à considérer le problème de la faim comme une situation déplorable, certes, mais dans laquelle nous ne jouons aucun rôle. Cela n'est plus vrai. Grâce à la multiplication des moyens de transport et de communication, la Terre est devenue, pour reprendre l'expression de Frances Moore Lappé, une « petite planète ». Cependant, le fossé qui nous sépare des habitants du Tiers-Monde est beaucoup plus large que l'écart des distances, beaucoup plus profond que les différences culturelles peuvent l'être: c'est l'abîme entre riches et pauvres « (...) si prononcé (...) que la disparition totale des pays pauvres (les deux tiers de la population mondiale) ne produirait sur la consommation mondiale de toutes les ressources, alimentaires et énergétiques, qu'une diminution de 10 à 20 p.cent. »[2]

Si on interrogeait l'homme de la rue sur le sujet de la faim dans le monde, on obtiendrait probablement des réponses du genre: « C'est terrible, mais que voulez-vous que j'y fasse, personnellement? », ou encore: « Il n'y a pas assez de nour-

(1) SHURTLEFF, William et AOYAGI, Akiko: *The Book of Tempeh*, Harper and Row Publishers, New York, 1979, p. 17.

(2) SHURTLEFF, William et AOYAGI, Akiko: *The Book of Tempeh*, Harper and Row Publishers, New York, 1979, p. 17.

riture pour tous ces gens, et le gouvernement leur envoie ce qu'il peut. Et puis, nous avons suffisamment de problèmes ici: le prix des aliments n'arrête pas de monter et la valeur du dollar, de baisser. »

Examinons d'abord l'argument concernant l'insuffisance des ressources alimentaires mondiales. Dans *L'industrie de la faim*, ouvrage dynamique et détaillé, Frances Moore Lappé et Joseph Collins ont démontré que la pénurie de ressources alimentaires était un mythe: nous ne manquons pas de nourriture sur terre. En fait, nous produisons actuellement suffisamment de nourriture pour combler les besoins de tous les habitants de la planète. Où donc aboutit toute cette nourriture?

Dans l'estomac du bétail, serions-nous tentée de répondre. Environ 95 p.cent de notre soya non importé et 78 p.cent de toutes les autres céréales servent, en effet, à nourrir le bétail.[1] Bien sûr, nous mangeons la viande en retour, mais cela ne résout pas le problème. Le fait de nourrir le bétail avec des grains occasionne un gaspillage scandaleux, car « *de 77 à 95 p.cent (de ces céréales) sont irrémédiablement perdues par le métabolisme de l'animal* »[2]. En d'autres termes, cette façon de transformer de la nourriture entraîne des coûts absurdes. Comme l'explique Frances Moore Lappé dans *Sans viande et sans regrets*, un bouvillon doit absorber de *6 à 9 kg de protéines végétales*, qui pourraient être consommées directement par l'homme, pour donner en retour *une seule livre de protéines animales*.

Nous avons donc, chacun d'entre nous, un choix précis à faire. Ou nous continuons à participer à ce gaspillage inutile des ressources mondiales, ou nous faisons notre part pour que la situation change en adoptant une alimentation basée sur les ressources végétales.*

---

(1) SHURTLEFF, William et AOYAGI, Akiko: *The Book of Tofu*, Ballantine Books, New York, 1975 (édition révisée), pp. 4 et 5.

(2) Id.

*Nous n'avons, bien sûr, qu'effleuré la question des relations entre les régimes alimentaires et la faim dans le monde. Si la question vous intéresse, nous vous recommandons vivement de lire *Sans viande et sans regrets*, de Frances Moore Lappé et, du même auteur, en collaboration avec Joseph Collins, *L'industrie de la faim*, aux Éditions l'Étincelle.

Certaines personnes, particulièrement sensibles, s'abstiennent de manger de la viande parce qu'elles aiment les animaux. Avez-vous déjà visité une grosse ferme laitière ou un poulailler industriel? La vision de ces centaines de bêtes, alignées à l'infini les unes après les autres, de ces milliers de poules réduites à l'immobilité dans des cages trop petites, empilées les unes sur les autres, est cauchemardesque. L'image d'une grosse vache placide broutant paisiblement sur une colline verdoyante et celle de poules picorant çà et là autour d'une grange appartiennent au passé, un passé révolu. La viande que nous mangeons de nos jours provient en grande partie d'animaux qui n'ont jamais vu la lumière du jour. La petite ferme familiale a fait place à l'industrie agro-alimentaire: les animaux sont devenus de simples produits qu'on bourre d'hormones, d'antibiotiques ou de tout autre produit susceptible d'accroître la productivité de l'entreprise.

En vertu de quel droit osons-nous traiter ainsi des créatures vivantes comme nous?

Il fut un temps où l'on croyait qu'il était nécessaire de manger de la viande pour rester en santé; ceux qui s'en abstenaient étaient dénigrés comme des êtres irréalistes trop sensibles. De nos jours, cependant, il a été prouvé que l'être humain pouvait non seulement vivre sans viande, mais qu'il s'en porterait sans doute mieux. Nous savons, en outre, que l'élevage du bétail est une activité agricole coûteuse et inefficace. Puisqu'elle comporte si peu d'avantages pratiques, la viande peut donc sans exagération être considérée comme un luxe, c'est-à-dire quelque chose qu'on s'offre sans nécessité, pour son simple plaisir.

La plupart des aliments que nous consommons étant offerts sous emballage de plastique, bien des gens ont peine à faire le lien entre le filet mignon ou le bifteck de leur assiette, et l'animal qu'il a fallu abattre auparavant. Cependant, notre responsabilité demeure entière. Même si vous n'abattez pas vous-même l'animal, même si vous n'avez *jamais* tué d'animal, *vous contribuez directement* à sa mort et à sa souffrance en mangeant sa chair. Êtes-vous capable de regarder droit dans les yeux un animal sans défense, de soutenir son regard, au fond si semblable au nôtre, et de le tuer froidement? N'est-ce pas de l'hypocrisie que de déléguer aux autres les tâches qui nous répugnent, et d'en tirer profit en se lavant les mains de toute responsabilité? Il faut que l'être humain soit bien arrogant pour se permettre ainsi de tuer pour son simple plaisir!

La doctrine du végétarisme peut, enfin, prendre sa source dans des convictions religieuses ou spirituelles. Les membres des *Seventh Day Adventists*, une secte chrétienne, croient que Dieu a créé l'homme pour être végétarien. Leur croyance se fonde sur un verset de la Bible (Genèse, **1**,29): « Je vous donne toutes les herbes portant semence, qui sont sur toute la surface de la terre, et tous les arbres qui ont des fruits portant semence: ce sera votre nourriture. »

Pour certaines religions, le respect de la vie est un dogme si sacré qu'il est interdit de tuer quelque créature que ce soit, peu importe la raison. Les adeptes de la méditation en viennent fréquemment à adopter le végétarisme parce qu'ils constatent que la consommation de viande nuit à leur quête intérieure. Quelle que soit la religion, cependant, il est une croyance universelle selon laquelle notre corps est un réceptacle sacré; c'est par lui, et par lui seul, que nous pouvons faire la volonté de Dieu. Si nous désirons servir le Créateur le mieux possible, il nous appartient donc de garder notre corps pur et sain.

Écologie, philosophie, spiritualité... Vous commencez peut-être à vous demander quel rapport cela peut bien avoir avec un régime amaigrissant. Ce que vous voulez, c'est perdre du poids, un point c'est tout. Eh bien! justement, toute la question est là. Le succès de ce régime repose sur les motivations profondes du végétarisme. Le désir de perdre du poids pour une simple question d'esthétique, bien que légitime, demeure superficiel, et c'est précisément la raison pour laquelle la plupart des gens sont incapables de persévérer dans un régime. Le végétarisme, au contraire, est une philosophie, un mode de vie éclairé, fondé sur des motifs profonds qui touchent à l'essence même de notre condition humaine.

Pour le végétarien, la santé est importante: manger n'est plus un geste mécanique, mais un acte conscient, destiné à nourrir et à fortifier le corps. Cela n'exclut pas le plaisir, loin de là. Le végétarien aime et respecte sa nourriture, tout comme il aime et respecte la terre d'où elle provient et la force supérieure qui l'a créée. Et parce qu'il aime aussi son corps, il refuse de le bourrer de choux à la crème, de gâteaux au chocolat, de chair d'animal ou de quoi que ce soit d'autre qui puisse lui être nuisible.

On dit souvent qu'il faut de la discipline et une volonté de fer pour suivre un régime. Peu d'entre nous sommes doués pour ce genre de contraintes mentales. Et pourquoi en serait-il autrement? Nous sommes sur la terre pour profiter de la vie, et il n'est sûrement pas agréable d'avoir à se priver constamment des choses que nous désirons.

Le végétarisme vous aide précisément à éliminer ces désirs malsains. On ne vous demande pas de vous armer d'une volonté de fer ou de vous imposer une discipline draconienne, mais simplement d'aimer. Aimez votre corps. Il est beau; il est sacré. C'est un don précieux dont nous sommes responsables.

Aimez la terre sur laquelle vous vivez. Aimez-la suffisamment pour refuser qu'on l'épuise en fabriquant une nourriture anti-écologique comme la viande ou le sucre, ce réservoir de calories vides.

Aimez vos frères et vos sœurs humains. N'acceptez plus de participer à un système de consommation qui les prive des céréales dont ils ont besoin pour survivre. Songez que les pays industrialisés (1 milliard d'habitants) utilisent presque autant de céréales pour nourrir leur bétail que les deux milliards d'habitants des pays pauvres n'en consomment pour se nourrir eux-mêmes. L'Américain type absorbe chaque année l'équivalent de 905 kg de céréales et de soya, dont environ 90 p.cent sous forme de viande.* Dans les pays pauvres, là où on consomme directement les céréales et le soya, la moyenne par habitant tombe à 180 kg par année.[1] En d'autres termes, la naissance d'un enfant nord-américain non végétarien produit le même effet sur les ressources alimentaires que la naissance de cinq enfants en Inde, en Afrique ou en Amérique du Sud.

Enfin, si vous aimez les êtres vivants de la création, vous ne voudrez plus leur enlever la vie pour le simple plaisir de manger leur chair.

---

*Les Canadiens consomment encore plus de protéines que les Américains puisque la moyenne nationale s'établit à 94,5 g par habitant contre 93,7 pour les États-Unis.

(1) SHURTLEFF, William et AOYAGI, Akiko: *The Book of Tofu*, Ballantine Books, New York, 1975, p. 6.

# Le choix vous appartient

Chacun d'entre nous est maître de son poids, comme il est maître de sa vie et de sa santé. L'obésité n'est pas une fatalité mystérieuse devant laquelle nous sommes impuissants: la cause est en nous, tout comme la solution. Bien sûr, on peut trouver mille excuses pour justifier son inertie: « Je n'y peux rien, nous sommes tous obèses dans la famille. C'est héréditaire! » ou: « Mon métabolisme est trop lent. Regardez mon mari: il mange deux fois plus que moi et il n'engraisse pas, lui! » ou encore: « Vous savez, quand il faut cuisiner pour les enfants trois fois par jour... »

Voyons les choses en face: il n'est pas facile de maigrir. Mais on peut y arriver quand on est prêt à faire les changements qui s'imposent dans son mode de vie et son alimentation.

Vous devez apprendre à consommer et à dépenser le nombre de calories dont vous avez besoin pour rester actif et en bonne santé. Rien ne sert de lorgner du côté des minces en espérant pouvoir manger comme eux. Cela viendra après. Pour le moment, vous devez perdre du poids, c'est-à-dire vous efforcer de consommer moins de calories que vous n'en dépensez. Lorsque vous aurez atteint le poids désiré, vous pourrez manger tant que vous voudrez à tous les repas, à condition de faire régulièrement de l'exercice et de ne consommer que des aliments nourrissants et entiers. La perspective est agréable, n'est-ce pas?

Ne soyez pas trop pressé. Tout le monde sait que les pertes de poids trop rapides sont rarement de longue durée. Le végétarisme n'est pas un régime amaigrissant quelconque, auquel on a recours de temps à autre quand on ne s'aime plus dans le miroir. C'est une façon de vivre en bonne santé et en harmonie avec nous-mêmes et avec le monde qui nous entoure, un apprentissage constant qui s'enrichit au fil des années et de l'expérience.

# À la découverte des aliments sains

Sarrasin, boulghour, pois chiches, tofu, shoyu... Les aliments qui entrent dans la confection de nos recettes vous sont peut-être inconnus et sans doute vous semblent-ils étranges, voire exotiques. Pourtant, ils figurent parmi les aliments les plus anciens de l'histoire de l'humanité. Ce sont les céréales, les légumineuses, les fruits, les légumes, les noix, les graines et les produits laitiers qui, depuis des millénaires, forment la base de l'alimentation des peuples de la Terre. Il est triste de constater à quel point nous nous sommes éloignés de la terre nourricière et de traditions alimentaires éprouvées par les siècles. N'est-il pas étrange, quand on y songe, que la plupart des Québécois ignorent aujourd'hui comment faire cuire des aliments aussi traditionnels que le sarrasin ou le millet, alors que tout le monde connaît le Tang, les Pop-tarts et autres produits synthétiques tout aussi artificiels.

Passé la période d'adaptation du début, la cuisine végétarienne ne demande pas plus de temps que toute autre cuisine de qualité car elle est d'une grande simplicité. Bien sûr, il est beaucoup plus rapide d'ouvrir une boîte de conserve ou de se faire cuire un hamburger; mais si vous avez décidé de prendre votre santé en main, de telles solutions sont hors de question. Vous oublierez vite vos petits efforts d'apprentissage quand vous goûterez à vos premiers plats et, surtout, quand vous sentirez les effets bénéfiques de votre nouveau régime sur votre ligne et votre santé.

Le *tofu* est l'un de ces aliments anciens qui peuvent vous sembler étranges. Bien que sa popularité ait considérablement augmenté au cours des dernières années, il est encore inconnu de la majorité des Nord-Américains.

Le tofu est fabriqué à partir de lait de soya qu'on fait

d'abord cailler à l'aide d'un coagulant, puis qu'on presse pour lui donner sa forme carrée traditionnelle. On peut s'en procurer dans la plupart des magasins d'aliments de santé et même, aux États-Unis,* dans les supermarchés. Le tofu est extrêmement précieux pour les gens qui surveillent leur poids: il figure, en effet, parmi les aliments qui présentent une proportion élevée de protéines, alliée à un nombre réduit de calories. En fait, les seuls aliments qui le surpassent à ce chapitre sont les germes de soya, certains fruits de mer, les blancs d'œufs et le fromage blanc « cottage » fait de lait écrémé. Et, ce qui ne gâte rien, son prix est très abordable.

Le *shoyu*, qu'on appelle aussi *tamari*, revient souvent dans nos recettes. Cette sauce soya naturelle, originaire du Japon, qu'on laisse fermenter pendant deux ans dans des tonneaux de bois, est composée de fèves de soya, de blé, de sel de mer et d'eau. Compagnon parfait du tofu, le shoyu est un grand favori de la cuisine végétarienne. Il n'y a aucune comparaison entre le goût du véritable shoyu, saveur raffinée, unique d'un produit parvenu à maturité, et celui des sauces soya vendues dans les supermarchés, imitations synthétiques obtenues à grand renfort de sucre, de sel et de colorants. Le shoyu ou tamari est en vente dans les magasins d'aliments sains.

Le *pain de grain entier* occupe une place importante dans l'alimentation végétarienne. Sa texture, tout à la fois dense et légère, sa fraîcheur et sa saveur incomparable de grain moulu sont tellement agréables qu'elles vous aideront à éviter ces aliments moins recommandables dont vous pourriez avoir une envie soudaine. Le pain de grain entier renferme des vitamines B et des hydrates de carbone qui vous procureront l'énergie nécessaire pour persévérer dans votre régime. Comme tout autre aliment, le meilleur pain est celui qu'on fabrique soi-même à la maison. Nous avons donc inclus deux recettes à l'intention de ceux qui veulent cuire leur propre pain. Si vous désirez acheter votre pain, voici quelques conseils qui vous aideront à faire le meilleur choix possible:

- Ne vous fiez pas à la couleur. Un pain « brun » n'est pas nécessairement fait de grain entier. Les seuls ingré-

*Si votre magasin d'aliments sains ne vend pas encore de tofu, vous pouvez le faire vous-même, dans votre cuisine. *La cuisine au tofu, un art japonais*, publié aux Éditions L'Aurore (Montréal, 1979), comporte un chapitre détaillé consacré uniquement à la fabrication maison du tofu.

dients essentiels à la fabrication du pain sont la farine et l'eau. On peut y retrouver également de la levure, de l'huile, du miel, du sel, de la mélasse, du malt, des œufs et du lait. Certains boulangers ajoutent des grains germés à leur pâte; d'autres emploient diverses farines de grain entier: orge, maïs, soya, etc.

- Lisez l'étiquette. Si celle-ci indique seulement « farine de blé », « farine de seigle » ou même « farine de blé non blanchie moulue sur pierre », ne vous méprenez pas: il ne s'agit pas de farine de grain entier, mais bien de farine blanche. La même remarque vaut pour tous les produits à base de farine: crackers, pâtes alimentaires et autres produits similaires. Si la liste des ingrédients s'allonge à l'infini et que vous vous heurtez à des mots incompréhensibles qui ont plutôt l'air d'appartenir au domaine de la chimie, ne perdez pas votre temps à lire l'étiquette jusqu'au bout: replacez le produit sur l'étalage et passez votre chemin. Ce n'est pas du pain.

*Les fruits et les légumes* entrent pour une large part dans notre régime amaigrissant. Ils ont l'avantage d'être remplis de vitamines et de minéraux, et de contenir peu de calories. En fait, une foule de légumes sont si pauvres en calories qu'on peut en manger à satiété tout en perdant du poids.

Les légumes font souvent figure de parents pauvres dans les régimes amaigrissants traditionnels à base de viande. Ce préjugé se retrouve aussi dans nos habitudes culinaires: nombreux sont les cordons-bleus qui n'ont jamais appris à apprêter les légumes avec art.

Pour confectionner des plats de légumes réussis, il convient d'abord de choisir les bons légumes. Ne choisissez que des fruits et des légumes en saison. N'achetez pas de trop grosses quantités à l'avance: mieux vaut faire les courses plus souvent et disposer de produits plus frais. Le prix n'est pas toujours synonyme de qualité, bien au contraire: les fruits et les légumes coûteux qu'on nous offre hors saison déçoivent généralement par leur fadeur.

Faire votre marché deviendra une expérience tout à fait nouvelle. Vous passerez sans vous arrêter dans ces allées clinquantes remplies de produits surraffinés, synthétiques et riches en calories, et pousserez votre panier à provisions jusqu'au comptoir des fruits et légumes, où vous attend un pot-pourri de couleurs, d'arômes, de formes et de saveurs. Comme les menus que nous vous proposons sont économiques, vous pourrez même vous offrir certains délices qui passent généralement pour inabordables: endives, artichauts, cerises fraîches...

Pour les deux tiers de l'humanité, *les céréales* sont un aliment de base essentiel. En Amérique du Nord, nous nous en servons pour nourrir le bétail, pratique considérablement plus coûteuse. Au fur et à mesure que vous vous familiariserez avec la famille des grains, vous constaterez tous les avantages qui sont reliés à leur consommation directe. Comme la production de céréales est moins coûteuse que celle de la viande, le prix d'achat en est aussi moins élevé. Par exemple, pour quelques centimes, on peut acheter une tasse de grains de blé qui, cuits de la même façon que du riz, pourront nourrir 4 personnes. Combiné avec une légumineuse et un légume vert, produits également peu coûteux, le blé offre des protéines complètes équivalentes aux protéines de la viande. Si on les fait germer, les grains de blé se transforment en une véritable moisson de vitamine C. Les céréales à grain entier sont aussi d'excellentes sources de vitamines B et de minéraux.

Soyons réalistes. La surconsommation et le gaspillage qui caractérisent notre époque ne pourront pas toujours durer. Le prix de la viande ne cessera de monter. Peut-être aurez-vous les moyens de vous offrir de la viande toute votre vie, mais vos enfants le pourront-ils? N'est-il pas plus sage de leur léguer des habitudes alimentaires pratiques et saines, à base de céréales, plutôt qu'un mode d'alimentation désuet, anti-écologique et égocentrique, fondé sur la consommation de viande?

En plus d'être économiques et nourrissantes, les céréales à grain entier se transforment d'une recette à l'autre en plats savoureux et variés. Les céréales que nous emploierons dans nos menus sont le riz, l'avoine, le maïs, le sarrasin, l'orge, le boulghour (blé) et le millet.

Les *noix* et *les graines crues*, consommées avec modération, sont permises dans le régime amaigrissant végétarien. Malgré leur teneur élevée en calories, elles constituent une bonne source de vitamines et de minéraux et accroissent la valeur protéinique des aliments d'origine végétale auxquels elles sont combinées. Quand on a réussi à éliminer de son alimentation les aliments peu nourrissants et riches en calories, les noix et les graines — toujours crues et non salées, bien sûr — deviennent une petite gâterie permise à l'occasion.

Le procédé de *germination*, si merveilleux dans sa simplicité, nous permet d'avoir pendant toute l'année les légumes organiques les plus purs et les plus frais qui soient, à un coût dérisoire. Grâce aux germes, même les citadins peuvent s'adonner aux plaisirs du « jardinage ». La valeur nutritive d'une graine mise à germer augmente considérablement. Ainsi, la teneur en vitamine C des fèves de soya accroît de plus de 500 p.cent après trois jours de germination. Consommées sous forme de germes, les légumineuses se digèrent plus facilement tout en offrant la même richesse en protéines. Enfin, les germes renferment peu de calories: une tasse (240 ml) de germes de soya crus offre 6,5 g de protéines contre 48 calories seulement.

Enfin, le régime végétarien puise dans le réservoir varié des *légumineuses* (pois, haricots, lentilles et autres légumes secs), sources précieuses de protéines, de fibres alimentaires, de vitamines B et de minéraux. Complément idéal des céréales, les légumineuses allient saveur et bas prix. Malheureusement, elles ne jouissent pas d'une grande popularité en raison des problèmes de flatulence qu'elles peuvent occasionner et d'une certaine image qui les associe à la pauvreté. Oublions nos préjugés; réglons la question des gaz, et un monde culinaire entièrement nouveau s'ouvrira à nous.

Les spécialistes ne s'entendent pas encore sur la façon de prévenir les gaz intestinaux causés par les légumes secs. Toutefois, s'il est vrai que l'expérience vaut parfois la science, voici quelques trucs éprouvés par les années:

- les haricots doivent toujours être bien cuits. Une cuisson lente, à feu doux, donne les meilleurs résultats;

- ne salez qu'à la toute fin, quand les légumes sont tendres;

- surveillez vos combinaisons alimentaires. Les légumineuses et les aliments sucrés ne font pas bon ménage; ne les mélangez pas dans le même repas. N'ajoutez donc pas de mélasse à vos haricots au four et abstenez-vous de manger un dessert, même s'il s'agit d'un fruit;

- laissez tremper vos légumes secs pendant au moins huit

heures, puis jetez l'eau de trempage ou, mieux, servez-vous-en pour arroser vos plantes;

- prenez de petites portions au début, le temps de vous habituer aux légumineuses;
- une tisane de fenouil, prise après le repas, diminue la flatulence.

Un dernier conseil: pensez aux *herbes aromatiques*. Elles ajoutent à vos repas des arômes subtils et des saveurs délicates, inattendues. L'emploi judicieux des aromates peut transformer un plat insipide en un mets tout à fait délectable.

# La question des protéines

Du point de vue strictement nutritif, les recettes et les menus que nous vous proposons répondent à trois critères précis: ils sont riches en vitamines et en minéraux, pauvres en calories, et ils procurent bon nombre de protéines. Vous n'avez donc à redouter aucune déficience alimentaire tant que vous suivrez les menus suggérés. Une alimentation végétarienne bien équilibrée peut être excellente pour la santé et satisfaire les goûts les plus variés, mais il faut prendre garde de ne pas priver l'organisme des protéines dont il a besoin. Si vous avez l'intention de persévérer dans la voie du végétarisme, vous devrez apprendre à combiner vos protéines pour qu'elles soient complètes.

Les principes de base de cette théorie sont fort simples. Examinons-les brièvement.

Les protéines sont composées d'acides aminés. L'organisme peut produire la plupart de ces acides aminés, sauf huit d'entre eux, qu'on appelle pour cette raison les « acides aminés essentiels ». Certaines sources végétales de protéines présentent des carences totales ou partielles en acides aminés. Pour combler cette lacune, on doit combiner l'aliment « déficient » avec un autre qui est bien pourvu à cet égard. Pour simplifier l'explication, nous avons classé les aliments du régime végétarien en quatre groupes. Les acides aminés qui sont déficients dans un groupe se retrouvent en proportion suffisante dans les aliments classés dans les autres groupes. Il suffit donc, pour obtenir les huit acides aminés essentiels, de combiner des aliments provenant de deux ou de plusieurs groupes.

**1<sup>er</sup> groupe**
Produits laitiers (fromage, yoghourt, etc.) et œufs.

### 2ᵉ groupe
Céréales et produits à base de grain: pain, pâtes alimentaires, riz, maïs, avoine, sarrasin, millet, etc.

### 3ᵉ groupe
Noix et graines (amandes, cajous, graines de tournesol, etc.)

### 4ᵉ groupe
Légumineuses: toutes les variétés de haricots, de pois ou de doliques.

Les produits laitiers forment une catégorie à part, car ils possèdent les huit acides aminés essentiels. Ainsi, même lorsqu'ils ne sont pas combinés à d'autres aliments, on peut les considérer comme des sources de protéines aussi complètes que la viande. Les aliments des trois autres groupes requièrent au contraire la présence d'aliments appartenant à un autre groupe, au moins, pour offrir des protéines complètes. Concrètement, cela signifie, par exemple, qu'un plat composé uniquement de céréales (du riz, par exemple) est une source incomplète de protéines. Si on lui ajoute une légumineuse (haricots en sauce servis sur du riz), un produit laitier (riz gratiné) ou des graines (riz au tournesol ou au sésame), le bilan de protéines devient positif. Prenons un autre exemple. Une assiettée de haricots cuits dans leur sauce, si appétissante qu'elle soit, ne vous offre pas de protéines complètes. Combinez vos haricots avec un produit laitier, des noix ou des graines ou encore des céréales, et le tour sera joué. Simple, n'est-ce pas?

Une alimentation végétarienne équilibrée et variée fournit donc à l'organisme toutes les protéines, les vitamines et les minéraux dont nous avons besoin pour être énergiques et en bonne santé. Vous trouverez dans *La grande cuisine végétarienne** une foule d'autres recettes complètes, ainsi que des explications plus détaillées sur la question. Cependant, si vous désirez étudier à fond le principe de la complémentarité des protéines, lisez *Sans viande et sans regrets*, de Frances Moore Lappé.[1]

---

*Du même auteur, publié aux Éditions Stanké (Montréal, 1979).

(1) MOORE LAPPÉ, Frances: *Sans viande et sans regrets*, Éditions l'Étincelle, Montréal, 1975.

# Dis-moi comment
# tu manges...

La façon de manger et la fréquence des repas peuvent parfois avoir autant d'importance que le régime alimentaire lui-même.

Il est indispensable de manger à intervalles réguliers lorsqu'on surveille son poids. Rien ne vous oblige à prendre trois repas par jour: peut-être vous sentirez-vous mieux avec quatre repas légers ou deux repas plus consistants. Tout dépend de votre rythme personnel et de votre horaire. Ce qui importe avant tout, c'est de choisir des moments et un environnement propices à la détente. Faites en sorte que l'heure du repas soit, dans votre journée, une halte bienfaisante et agréable.

Apprenez à vivre vos repas de tout votre être, à en être conscient par l'esprit et les sens. Trop de gens mangent sans s'en rendre compte, les yeux rivés sur la télévision ou le journal, l'esprit préoccupé par d'autres questions. Vous mangez: ne faites que cela. Savourez votre nourriture, dégustez-la, humez-la. Mastiquez lentement, longuement.* Appréciez toute la subtilité du mariage des saveurs, des arômes et des textures. Planifiez votre horaire de repas de telle sorte que vous n'arriviez jamais trop affamé à table: cela vous aidera à manger plus lentement.

Ne négligez pas l'aspect visuel, car il joue un rôle très important. Lorsque vous préparez vos repas, tenez compte non seulement de la saveur des aliments, mais aussi de leurs couleurs, de leurs textures et de leurs formes. La cuisine végé-

---

*Une étude a, en effet, révélé que les enfants obèses prenaient plus de bouchées de nourriture, dans un laps de temps donné, et les mastiquaient moins que leurs camarades de classe non obèses. (HAMILTON, Eva May et WHITNEY, Eleanor: *Nutrition concepts and Controversies*, West Publishing Company, St. Paul Minnesota, 1979, p. 191.)

tarienne, vous le constaterez sans doute, se prête merveilleusement bien à ces élans de créativité. Soignez l'apparence de la table. Prenez le temps d'y ajouter une note de fantaisie: un vase de fleurs, par exemple, une jolie nappe, ou encore un ravier de légumes crus, d'olives et de cornichons maison. Égayez vos plats avec un brin de persil ou une feuille de menthe fraîche.

Lorsque vous vous mettez à table, ne vous jetez pas sur la nourriture comme un ogre affamé. Si vous êtes croyant, pourquoi ne pas réciter le bénédicité? Sinon, recueillez-vous un instant et songez à la nourriture qui est devant vous, au chemin qu'elle a parcouru depuis sa terre d'origine, à la magie de sa croissance.

Mangez jusqu'à ce que vous vous sentiez rassasié, mais pas au-delà. On croit qu'il s'écoule environ vingt minutes avant que le cerveau ne reçoive le message indiquant que l'estomac est plein, alors rien ne presse: allez-y doucement.

### Conseils en vrac

- Ne mangez que si vous avez faim. Ne vous sentez pas obligé de vous mettre à table parce que c'est l'heure du repas ou parce que tout le monde mange autour de vous.

- Buvez beaucoup d'eau entre les repas.

- Mastiquez bien et mangez lentement.

- Détendez-vous et prenez plaisir à goûter vos aliments.

- Après le repas, levez-vous tout de suite, nettoyez la table et rangez les restes pour éviter toute tentation.

- Si vous avez l'habitude de prendre un dessert, buvez une tasse de tisane ou de café de céréales.

- Ne buvez pas pendant les repas. Si vous mastiquez bien, vous n'aurez pas besoin d'une gorgée de liquide pour « faire descendre » votre nourriture.

- Ne mangez pas quand vous être troublé ou trop fatigué. Manquer un repas n'a jamais fait mourir personne.

- Ne prenez pas votre dîner trop tard, le soir. Le simple fait de prendre le dernier repas de la journée à 3 ou 4 heures de l'après-midi peut faire perdre du poids à certaines personnes.

- Ne vous mettez pas au lit l'estomac plein.

- Ne vous écrasez pas devant le téléviseur après le dernier repas. Faites quelque chose: allez dehors ou, mieux encore, faites l'amour. C'est non seulement une façon très agréable de dépenser des calories, mais cela vous empêchera probablement de trop manger. On fait mal l'amour quand on a l'estomac trop chargé.

# Marchez, courez, pédalez: c'est votre passeport-beauté

Les activités physiques entraînent une dépense énergétique. Une personne mince qui fait du sport ou de l'exercice peut manger comme quatre sans engraisser. Quand on est déterminé à perdre du poids, il est aussi important de s'adonner à une activité soutenue que de réduire la consommation de calories: c'est la combinaison de ces deux éléments qui assurera le succès du régime. Bien sûr, on peut arriver à perdre du poids par l'exercice seulement, mais les résultats seront plutôt lents. On peut aussi y arriver en se concentrant uniquement sur la diminution des calories ingérées, mais la graisse ne disparaîtra pas nécessairement aux bons endroits.

La combinaison exercice-régime comporte trois avantages:
1. Vous perdrez du poids plus rapidement.
2. La graisse disparaîtra là où il faut.
3. Tout en maigrissant, vous pourrez absorber le nombre de calories nécessaire pour fournir à votre organisme les éléments nutritifs dont il a besoin.

Rappelez-vous: l'objectif que vous visez est la SANTÉ ET LA BEAUTÉ, pas seulement la minceur. Pour cela, il ne suffit pas de diminuer simplement le nombre de calories. Mourir de faim n'a jamais rendu beau qui que ce soit. L'activité physique, au contraire, vous donne de l'énergie et une merveilleuse sensation de bien-être. Elle permet aussi de relaxer, allégeant les tensions qui sont parfois à l'origine de la suralimentation.

Par « exercice régulier », nous n'entendons pas exercice quotidien. Au début, trois fois par semaine suffisent. La course est l'activité physique qui entraîne la plus grande dépense énergétique. Si vous êtes mal à l'aise à l'idée de courir à l'extérieur, commencez par marcher. Attention: il ne s'agit pas d'une petite promenade de digestion nonchalante. Marchez d'un pas vif et énergique et mettez-y tout votre cœur. La bicyclette d'appartement est un autre exercice qui vous mettra en forme avant d'entreprendre la course à pied ou de partir à vélo sur les routes. La natation compte également parmi les meilleurs exercices, à condition bien sûr que vous ne passiez pas votre temps à vous laisser flotter dans un coin de la piscine en bavardant de la pluie et du beau temps. Mentionnons enfin le saut à la corde, qui s'accompagne fort bien de musique, incidemment.

N'importe qui peut entreprendre un programme régulier de marches de santé. Cependant, toute personne de plus de trente ans devrait consulter son médecin avant de commencer un programme d'exercices plus vigoureux.

Le tableau suivant montre la dépense énergétique produite par divers exercices. Retenez cependant qu'une marche de 9 km, pendant une heure et quarante-cinq minutes, entraîne une dépense de 400 à 499 calories. Vous obtiendrez les mêmes résultats si vous parcourez 17 kilomètres à bicyclette ou 1 km et demi à la nage en quarante-deux minutes.[1] Songez-y: 500 calories, c'est presque la moitié de ce que vous consommez en une journée entière dans votre régime!

| Activité | Nombre de calories dépensées en une heure |
|---|---|
| Demeurer assis | 100 |
| Travail domestique | 180 |
| Bicyclette (8 km/h) | 210 |
| Marcher (4 km/h) | 210 |
| Jardinage | 220 |
| Natation (0,4 km/h) | 300 |
| Patinage sur glace (16 km/h) | 300 |
| Jogging-marche (8 km/h) | 600 |
| Ski de fond (16 km/h) | 600 |
| Course (16 km/h) | 900 |

Ces chiffres s'appliquent aux activités physiques d'un individu de 65 kg environ.[2]

---

(1) COOPER, Mildred et COOPER, Kenneth H.: *Aerobics for Women*, Bantam Books, New York, 1972, p. 160.
(2) MIRKIN, Dr Gabe, et HOFFMAN, Marshall: *The Sports Medicine Book*, Little & Brown Publishers, p. 22.

# Le travail, les voyages et les sorties

Quand on travaille à l'extérieur, la seule façon de s'assurer d'un bon repas végétarien à la fois nourrissant et pauvre en calories est d'en apporter un de la maison. La plupart des plats suggérés dans nos menus du midi sont simples, rapides à préparer et faciles à transporter.

Les restaurants, même les mieux cotés, n'ont, hélas! pas grand'chose à offrir aux végétariens. Les mets qu'ils proposent sont en général trop riches en calories; quant aux inévitables « salades du chef », trop souvent noyées dans une vinaigrette sucrée qui masque la fadeur de la laitue iceberg et l'anémie de quelques tranches de tomates hors saison, elles décourageraient les âmes les mieux intentionnées. De toute manière, plus on s'habitue à manger des aliments entiers et purs, moins on est attiré par la perspective de manger au restaurant. Les bons restaurants végétariens sont encore rares, mais si vous en dénichez un, n'oubliez pas de commander des mets pauvres en calories et abstenez-vous de dessert.

Pendant la belle saison, il est beaucoup plus agréable de manger dehors, dans un parc ou dans quelque îlot de verdure que dans l'atmosphère enfumée d'un restaurant. Si c'est l'aspect social des repas au restaurant qui vous manque, faites goûter vos amis à quelques-uns des plats que vous apportez: l'exemple (et la dégustation) les convaincront peut-être d'en faire autant. Quoi qu'il en soit, une heure de solitude et de calme intérieur valent infiniment mieux, lorsqu'on veut se détendre, qu'une heure de bavardage.

Les voyages peuvent entraîner quelques changements dans vos nouvelles habitudes alimentaires. Si vous voyagez en automobile ou en train, apportez vos provisions: du bon pain de grain entier, du fromage, des fruits et des légumes crus, un thermos de tisane. Ce n'est sans doute pas un repas parfait, mais cela vaut mille fois mieux que ce qu'on vous servira dans les snack-bars ou les restoroutes. Pourvu qu'on les en avise à l'avance, les compagnies aériennes servent aux clients qui le désirent des repas végétariens convenables (pour ma part, je profite toujours de l'occasion pour observer plutôt un petit jeûne qui me fait toujours un bien énorme.)

Vous aimez recevoir? Cela ne pose pas le moindre problème. Tous nos menus du soir, soigneusement apprêtés et présentés avec goût, seront du plus bel effet sur une table bien dressée. Peu de gens résistent à la nouveauté et à l'originalité d'un repas végétarien appétissant.

Si vous êtes invité à dîner, ne vous inquiétez pas inutilement des réactions de vos hôtes. Loin d'être offensés par votre attitude, ils en seront probablement impressionnés. Les vrais végétariens, ceux qui tiennent bon, sont toujours plus respectés que les végétariens du dimanche. Lorsque vous vous faites de nouveaux amis, dites-leur que vous êtes végétarien. S'ils vous invitent à dîner à la maison, vous saurez que ce petit « inconvénient » ne les dérange pas. Dans les grosses réceptions, aucun problème: ne dites rien et servez-vous une généreuse assiette de salade et de crudités (tous les buffets en offrent maintenant). Personne ne le remarquera. Dites-vous bien que rien ni personne, quelle que soit la circonstance, ne peut vous forcer à manger de la viande, du dessert ou quoi que ce soit d'autre qui vous déplaît.

En fait, le problème le plus ennuyeux auquel vous aurez peut-être à faire face est la désapprobation de vos proches, amis ou parents bien intentionnés, qui croient sincèrement qu'il faut manger de la viande pour rester en bonne santé. Ne vous croyez pas obligé de faire chaque fois l'apologie du végétarisme: laissez dire... et restez ferme dans vos convictions. La transformation merveilleuse qui s'opérera en vous au fil des semaines et des mois sera plus éloquente que n'importe quelle discussion orageuse.

# Le petit déjeuner

Les hommes et les femmes qui font de l'embonpoint ont souvent l'habitude de commencer la journée par un petit déjeuner « léger »; d'autres s'en passent carrément, croyant ainsi éviter des calories supplémentaires. La volonté semble de fer quand le dernier repas de la veille ou la collation de la soirée pèse encore sur l'estomac. Cependant, avec l'apparition des petits problèmes quotidiens ou le retour des tâches routinières, les résolutions inébranlables du matin cèdent peu à peu la place à une sensation de fatigue, de nervosité ou de froid. La solution semble toute prête: une tasse de café chaud et quelques beignes ou tout autre goûter du même genre comblent le vide... Quand on y songe un instant, il est pourtant évident que nous avons davantage besoin de calories et de nutriments au début d'une journée d'activités que le soir, quand nous n'avons plus qu'à nous reposer.

Un peu plus loin, vous trouverez un tableau illustrant les différences entre un petit déjeuner « léger », de type traditionnel, et un petit déjeuner nourrissant que la plupart des gens au régime condamneraient sans appel parce qu'il leur semblerait trop riche. Les apparences sont trompeuses! Le tableau révèle, en effet, que s'il contient un nombre étonnamment élevé de calories, de gras et de cholestérol — toutes choses dont on doit se tenir à l'écart quand on surveille son poids —, le petit déjeuner « léger » est virtuellement dépourvu de ces éléments nutritifs essentiels que sont les protéines, les fibres alimentaires, les vitamines et les minéraux. On comprend facilement, dès lors, comment certaines personnes peuvent prendre du poids même si elles mangent « comme des oiseaux ».

Il ne suffit pas de prendre un bon petit déjeuner; encore faut-il se donner le temps de se détendre pour vraiment profiter de ce moment privilégié de la journée. Avant d'entamer votre petit déjeuner, buvez un ou deux verres d'eau de source pure, puis faites quelques exercices d'étirement ou de hatha-yoga. Soyez à l'écoute de votre corps; mettez-vous au diapason de sa musique intérieure. Vous commencerez la journée du bon pied. Pour ce réveil en douceur, peut-être devrez-vous lever un peu plus tôt, mais l'effort en vaudra la peine. La sensation d'énergie et de calme qui se répandra en vous imprégnera toute votre journée.

## Petit déjeuner « léger » de type traditionnel

| | Poids (en grammes) | Calories | Matières grasses | Protéines (en grammes) | Hydrates de carbone (en grammes) | Fibres (en gramme) | Cholestérol | Vit. A U.I. | Thiamine (B¹) (en mg) | Niacine (en mg) | B⁶ (en mg) | B¹² (en mg) | Vit. C | Sodium (en mg) | Calcium (en mg) | Phosphore (en mg) | Potassium (en mg) | Zinc (en mg) | Fer (en mg) | Riboflavine (B²) (en mg) |
|---|---|---|---|---|---|---|---|---|---|---|---|---|---|---|---|---|---|---|---|---|
| 2 tranches de pain blanc enrichi, rôties | 40 | 124 | 1.4 | 4 | 23.2 | min. | | min. | .1 | .1 | 1.2 | | 0 | min. | 234 | 36 | 44 | 48 | .01 | 1 |
| Beurre (1 cuillerée à soupe) | 14.2 | 102 | 11.5 | .1 | .1 | 0 | 35 | 470 | min. | .001 | | | | 0 | 140 | 3 | 2 | 3 | .006 | 0 |
| Confiture (1 cuillerée à soupe) | 20 | 54 | min. | .1 | 14 | .1 | | min. | min. | .01 | min. | .005 | 0 | 0 | 2 | 4 | 2 | 18 | .10 | .2 |
| Café (2 tasses) | 480 | 10 | .2 | .6 | 1.6 | 0 | | 0 | .04 | .04 | | min. | 0 | 0 | 4.6 | 9.2 | 10 | 166 | .08 | .46 |
| Crème (2 cuillerées à soupe) | 30 | 58 | 5.8 | .8 | 1.1 | 0 | 10 | 216 | .01 | .04 | .018 | .01 | .066 | .22 | 12 | 28 | 24 | 36 | | .02 |
| Sucre de canne ou de betterave granulé (1 cuillerée à soupe) | 12 | 46 | 0 | 0 | 11.9 | 0 | | 0 | 0 | | | | | 0 | min. | 0 | 0 | min. | .002 | min. |
| Total | | 394 | 18.9 | 5.2 | 51.9 | .1 | 45 | 686 | .15 | .191 | 1.218 | .015 | .033 | .22 | 392.6 | 80.2 | 84 | 271 | .198 | 1.68 |

# Petit déjeuner végétarien nourrissant

| | Poids (en grammes) | Calories | Matières grasses | Protéines (en grammes) | Hydrates de carbone (en grammes) | Fibres (en grammes) | Cholestérol | Vit. A U.I. | Thiamine (B$^1$) (en mg) | Riboflavine B$^2$ (en mg) | Niacine (en mg) | B$^6$ (en mg) | B$^{12}$ (en mg) | Vit. C (en mg) | Sodium (en mg) | Calcium (en mg) | Phosphore (en mg) | Potassium (en mg) | Zinc (en mg) | Fer (en mg) |
|---|---|---|---|---|---|---|---|---|---|---|---|---|---|---|---|---|---|---|---|---|
| 1 tasse (240 ml) de gruau cuit | 240 | 132 | 2.4 | 4.8 | 23 | .5 | 0 | 0 | .19 | .05 | .2 | | 0 | 0 | 520 | 22 | 140 | 150 | 1.18 | 1.4 |
| Yoghourt nature fait de lait écrémé, contenant des solides de lait non gras [1 tasse (240 ml)] | 227 | 127 | .41 | 13 | 17.4 | 0 | 4 | 16 | .109 | .531 | .281 | .12 | 1.39 | 1.98 | 174 | 452 | 355 | 579 | 2.2 | .2 |
| Germe de blé cru (2 cuillerées à soupe) | 10 | 38 | 1 | 2.8 | 4 | 2 | | 0 | .2 | .06 | .4 | min. | 0 | 0 | min. | 8 | 114 | 84 | 1.78 | 1 |
| 1 pêche de grosseur moyenne, crue | 100 | 38 | .1 | .6 | 10 | .6 | | 1300 | .02 | .05 | 1.0 | .02 | 0 | 7 | 1 | 9 | 19 | 200 | .2 | .5 |
| Raisins secs (1½ cuillerée à soupe) | 14 | 40 | min. | .4 | 11 | .1 | | min. | .02 | .01 | .1 | .03 | 0 | min. | 4 | 9 | 14 | 110 | | .5 |
| Total | — | 375 | 3.9 | 21.6 | 65.4 | 3.2 | 4 | 1316 | .539 | .701 | 1.98 | .17 | 1.39 | 8.9 | 699 | 500 | 642 | 1123 | 5.36 | 3.6 |

# Recettes pour petits déjeuners

## Crème de millet

**Pour 1 personne**
**1 portion: 335 calories et 18,3 g de protéines**

|  | Cal. | Prot. |
|---|---|---|
| ³/₄ t. (180 ml) d'eau |  |  |
| 4 c. à soupe de millet | 165 | 5,0 |
| 2 dattes | 43 | 0,3 |
| 1 t. (240 ml) de yoghourt | 127 | 13,0 |
|  | 335 | 18,3 |

Porter l'eau à ébullition.

Entre-temps, jeter le millet dans le mélangeur et le réduire en une farine grossière.

En remuant constamment, ajouter la farine de millet dans l'eau bouillante, puis les dattes. Couvrir et réduire le feu. Cuire pendant environ 10 minutes en remuant de temps à autre.

Servir avec du yoghourt ou du lait écrémé.

**Variante**
Remplacer le millet par 2 c. à soupe de semoule de maïs et la même quantité de millet moulu. Délicieux!

# Crème de riz au sésame

**Pour 1 personne**
**1 portion (lait compris): 302 calories et 13,4 g de protéines**

|  | Cal. | Prot. |
|---|---|---|
| 3 c. à soupe de riz brun cru | 124 | 2,6 |
| 1 c. à soupe de graines de sésame | 50 | 1,6 |
| 1½ c. à soupe de raisins secs (facultatif) | 40 | 0,4 |
| ¾ t. (180 ml) d'eau | | |
| 1 t. de lait écrémé | 88 | 8,8 |
| | **302** | **13,4** |

Jeter les graines de sésame et le riz dans un poêlon sans huile et rôtir légèrement en remuant à la cuiller de bois. Battre ensuite dans le mélangeur jusqu'à l'obtention d'une poudre grossière. Entre-temps, porter l'eau à ébullition.

Jeter la poudre de riz dans l'eau et remuer jusqu'à ce que le liquide commence à épaissir.

Mettre à feu doux, couvrir et cuire encore de 5 à 10 minutes en remuant de temps à autre, jusqu'à ce que la crème soit épaisse.

Arroser de lait ou de yoghourt écrémés au moment de servir.

# Crêpes de Séraphin

**Donne 2 crêpes**
**1 crêpe: 116 calories et 6,1 g de protéines**

| | Cal. | Prot. |
|---|---|---|
| 1 c. à thé d'huile | 41 | |
| 1/4 t. de farine de sarrasin | 81 | 3,0 |
| 1 gros œuf | 82 | 6,5 |
| 1/3 t. (80 ml) de lait écrémé | 29 | 2,8 |
| | 233 | 12,3 |

Battre ensemble la farine, l'œuf et le lait.

Faire chauffer 1/2 c. à thé d'huile dans le poêlon, puis y verser la moitié de la pâte. Incliner le poêlon pour que la pâte s'y étende uniformément jusqu'à la périphérie.

Retourner la crêpe lorsque des bulles commencent à éclater à la surface.

# Mousse aux fraises

**Pour 4 personnes**
**1 portion: 178 calories et 12,4 g de protéines**

|  | Cal. | Prot. |
|---|---|---|
| 2 t. (480 ml) de tofu écrasé | 328 | 35,6 |
| 2 t. (480 ml) de fraises fraîches ou congelées | 40 | 1,4 |
| 2 jaunes d'œufs | 118 | 5,4 |
| 3 c. à soupe de miel | 192 | 0,3 |
| 1 c. à thé de vanille | | |
| 2 blancs d'œufs | 34 | 7,2 |
| | 712 | 49,9 |

Mettre de côté 4 belles fraises.

Dans le mélangeur, battre ensemble tous les ingrédients, sauf les blancs d'œufs, jusqu'à l'obtention d'une crème épaisse et onctueuse.

Battre les blancs en neige.

Verser le mélange de fraises dans un bol et y incorporer délicatement les blancs d'œufs.

Servir dans des coupes à sorbet et garnir d'une fraise.

Réfrigérer.

# Mousse au tofu et aux fruits

Pour 4 personnes (4 portions de $^1/_2$ t. chacune)
1 portion: 97 calories et 4,9 g de protéines

|  | Cal. | Prot. |
|---|---|---|
| 1 t. (240 ml) de tofu écrasé | 164 | 17,8 |
| 1 banane de grosseur moyenne | 100 | 1,0 |
| $^1/_2$ t. (120 ml) d'ananas non sucré | 81 | 0,6 |
| 2 dattes | 43 | 0,3 |
| 1 c. à thé de vanille | | |
| | 388 | 19,7 |

Battre tous les ingrédients dans le mélangeur jusqu'à ce que le tout prenne une consistance crémeuse.

Au besoin, employer une spatule en caoutchouc pour pousser les ingrédients contre les lames du mélangeur.

# Muesli

Pour 1 personne
1 portion: 367 calories et 18,4 g de protéines

|  | Cal. | Prot. |
|---|---|---|
| $^1/_4$ t. (60 ml) de flocons d'avoine crus | 78 | 2,7 |
| 2 c. à soupe de germe de blé | 38 | 2,8 |
| 2 c. à soupe de son | 14 | 1,0 |
| $1^1/_2$ c. à soupe de raisins secs | 40 | 0,4 |
| 1 c. à soupe de graines de citrouille | 48 | 2,5 |
| 1 petite pomme râpée | 61 | 0,2 |
| 1 t. (240 ml) de lait écrémé | 88 | 8,8 |
| | 367 | 18,4 |

Moudre les flocons d'avoine dans le mélangeur et les verser dans un petit bol avec le germe de blé, le son et les raisins.

Y verser le lait et laisser reposer pendant 10 minutes.

Ajouter la pomme râpée et les graines de citrouille.

# Polenta

**Pour 1 personne**
**1 portion: 301 calories et 15,8 g de protéines**

| | | Cal. | Prot. |
|---|---|---|---|
| ³/₄ t. (180 ml) d'eau | | | |
| ¹/₄ t. (60 ml) de semoule de maïs | | 108 | 2,7 |
| 1¹/₂ c. à soupe de raisins secs | | 40 | 0,4 |
| 4 onces (120 g) de tofu | | 82 | 8,9 |
| 1 c. à soupe d'arachides hachées | | 52 | 2,4 |
| 1 c. à soupe de germe de blé | | 19 | 1,4 |
| | | 301 | 15,8 |

Porter l'eau à ébullition; y jeter la semoule, puis les raisins, et remuer.

Couvrir, mettre à feu doux et laisser mijoter de 5 à 10 minutes jusqu'à ce que le mélange épaississe, en remuant de temps à autre.

Détailler le tofu en tranches de ¹/₂″ d'épaisseur et placer celles-ci sous le gril du four pendant 3 ou 4 minutes.

Disposer les tranches de tofu autour de la polenta, dans un petit bol, et garnir d'arachides et de germe de blé.

**Variante**
Remplacer le tofu par du lait écrémé ou du yoghourt de lait écrémé.

# Riz aux dattes

Pour 1 personne
1 portion: 356 calories et 17,4 g de protéines

|  | Cal. | Prot. |
|---|---|---|
| ²/₃ t. (160 ml) de riz brun déjà cuit | 155 | 3,2 |
| 2 dattes hachées | 44 | 0,3 |
| ¹/₃ t. (80 ml) d'eau | | |
| 1 t. (240 ml) de yoghourt de lait écrémé (sans gras, solides du lait ajoutés) | 127 | 13,0 |
| 5 amandes hachées | 30 | 0,9 |
| | 356 | 17,4 |

Mélanger le riz cuit, les dattes et l'eau et cuire environ 5 minutes ou jusqu'à ce que l'eau ait été absorbée.

Servir avec le yoghourt et les amandes.

# Tofu brouillé

Pour 1 personne
1 portion: 190 calories et 16 g de protéines

|  | Cal. | Prot. |
|---|---|---|
| 7 onces (200 g) de tofu | 144 | 15,6 |
| 1 c. à thé d'huile de tournesol | 41 | |
| 3 ou 4 gouttes d'huile de sésame (facultatif) | 2 | |
| 1 c. à thé de shoyu (ou plus selon le goût) | 4 | 0,2 |
| ¹/₄ c. à thé de paprika | | |
| 1 c. à soupe de persil frais ou 1 c. à thé de persil séché | | 0,1 |
| 1 c. à sope de ciboulette hachée fraîche ou 1 c. à thé de ciboulette séchée | 1 | 0,1 |
| | 192 | 16,0 |

Émietter le tofu avec les mains et y ajouter les assaisonnements.

Faire chauffer quelques minutes dans un poêlon légèrement huilé.

# Les boissons

Aucune boisson ne figure sur nos menus. Il est déconseillé de boire pendant les repas, car cela entraîne une mauvaise mastication et porte à trop manger.

Il est indispensable de bien mastiquer les aliments pour que ceux-ci soient correctement digérés, puis assimilés par l'organisme. En fait, la digestion commence véritablement dans la bouche, lorsque les aliments sont mastiqués et imprégnés de salive, liquide qui contient une amylase nécessaire au fractionnement des hydrates de carbone. Un aliment peu mastiqué, avalé avec effort à l'aide d'une rasade d'eau, de jus ou de quelque autre liquide, ne sera pas aussi bien digéré et assimilé qu'un aliment longuement mastiqué et imprégné de salive.

Les vertus de l'eau pure, tirée d'une source ou d'un puits, en font la boisson par excellence. Buvez-en sans contrainte, à tout moment: l'eau nettoie autant l'intérieur de notre corps que l'extérieur. Même si vos efforts de changement devaient se limiter, au début du régime, à essayer de boire au moins huit verres d'eau par jour, cela pourrait suffire à mettre en branle le processus d'amaigrissement. L'eau semble avoir le pouvoir de rafraîchir non seulement le corps, mais aussi l'esprit: elle clarifie les idées et modère les élans de l'appétit.

Il est faux de prétendre que la rétention d'eau est causée par une trop grande absorption d'eau. C'est le plus souvent un excès de sel qui entraîne l'œdème. Pour excréter cet excédent par les tissus, l'organisme a précisément besoin d'eau. Par conséquent, la meilleure façon d'éviter l'œdème est de boire beaucoup d'eau.

Prenez l'habitude de boire un ou deux verres d'eau tous les matins en vous levant et au moins trois verres entre les repas. Vous rentrez du travail en coup de vent, fatigué et trop affamé pour cuisiner? Vous êtes porté à manger quand vous préparez les repas? Prenez un grand verre d'eau: cela vous calmera et apaisera votre appétit jusqu'au moment de vous mettre à table.

Les citadins auraient tout intérêt à acheter de l'eau de source pure embouteillée dans des contenants de verre. Comme son goût est infiniment supérieur à celui de l'eau du robinet, vous serez facilement convaincu. Les produits chimiques employés pour détruire les bactéries ainsi que les résidus des polluants agricoles et industriels qu'on retrouve dans l'eau de robinet des villes présentent des risques pour la santé. L'argument du coût ne devrait pas entrer en ligne de compte; l'abandon d'un produit de luxe nocif comme le café représente une économie suffisante pour compenser le prix de l'eau de source.

Est-il nécessaire d'aborder le sujet des boissons gazeuses et des boissons sucrées à saveur de fruit? Nous osons croire que nul lecteur n'achète encore ces mixtures. Les boissons gazeuses de régime sont sans doute pauvres en calories, mais elles n'ont pas place dans un régime qui met l'accent sur l'aspect naturel et sain de la nourriture.

Les boissons alcoolisées sont également hors de question. Nous nous sommes efforcé, dans chaque recette et chaque menu, de tirer le meilleur rendement possible de chaque calorie, autrement dit d'obtenir le plus grand nombre d'éléments nutritifs par calorie ingérée. Les boissons alcooliques contreviennent à ce principe, car elles présentent beaucoup de calories mais aucune valeur nutritive. Une petite bouteille de bière contient à elle seule 151 calories, soit l'équivalent d'une tasse de gruau et de la moitié d'une pêche (moins leurs éléments nutritifs). Une petite once de gin, de rhum, de vodka ou de whisky renferme 70 calories, rien d'autre, et une tasse de vin doux, 329 calories, c'est-à-dire à peu près le même nombre que plusieurs de nos repas complets. Le vin sec n'est guère mieux (204 calories pour une tasse); quant aux cocktails, mixtures composées de sucre, de colorants et d'alcool, mieux vaut ne pas en parler.

Bien que tout à fait recommandables en temps normal, les jus de fruits sont à éviter en cure d'amaigrissement. Même si on y retrouve des vitamines et des minéraux, une tasse de jus de pomme n'en renferme pas moins 117 calories. Si on n'y prend pas garde, on peut facilement boire deux ou trois verres de jus de fruits par jour. Pensez aux calories!

Raymond Dextreit, herboriste réputé, recommande de boire le jus d'un demi-citron mélangé à de l'eau chaude ou froide comme traitement de l'obésité. Dépourvues de calories, les tisanes — non sucrées, bien sûr — constituent une excellente boisson entre les repas. Jethro Kloss, auteur de *Back to Eden*, conseille, pour sa part, le fenouil, un diurétique léger qui favorise la digestion. La camomille, la menthe douce et le tilleul sont particulièrement recommandés le soir, avant le coucher, en raison de leurs propriétés calmantes.

# Les desserts

Les gens qui adoptent les aliments de santé ont souvent tendance à croire que les desserts faits avec des ingrédients de qualité et non raffinés sont moins engraissants que les autres desserts. En un sens, ils n'ont pas tout à fait tort. Un plat confectionné avec des ingrédients nourrissants comme des graines entiers, des fruits ou du miel remplit l'estomac plus rapidement; aussi sommes-nous portés à en manger moins. Si « naturel » ou « sain » qu'il soit, cependant, un dessert reste un dessert, c'est-à-dire un mets qui commande la modération, non seulement à cause des calories, mais aussi pour des raisons de santé.

L'excès de sucre — fût-il sous forme de miel, de sirop d'érable ou même de mélasse pure — est nocif. Ne vous fiez pas aux croyances populaires: le sucre contenu dans un biscuit ou une friandise ne vous donnera pas de l'énergie, pas plus qu'il n'éloignera votre faim, bien au contraire. L'absorption de sucre a pour effet d'augmenter le taux de sucre sanguin, ce qui entraîne la production d'insuline. L'insuline, à son tour, provoque une diminution rapide du sucre sanguin, si bien qu'au bout de quelques heures à peine, la faim réapparaît à nouveau.

Dans notre civilisation d'abondance, nous pouvons aisément nous offrir une pâtisserie débordante de crème ou un gros morceau de gâteau à n'importe quelle heure du jour ou de la nuit. Cela n'a pas toujours été le cas. Il y a cent ans, les desserts étaient un luxe que seuls les très riches pouvaient se payer. Aujourd'hui, nous y sommes tellement habitués qu'ils nous semblent un élément essentiel des repas. S'il y a des personnes de plus de soixante ans dans votre entourage, demandez-leur s'il y avait toujours du dessert à table, lorsqu'elles étaient jeunes. Elles vous répondront que les gâteaux ou les tartes étaient réservés aux grandes occasions: anniversaires, jours de fête ou visites du curé... Apprenons donc à remettre le sucre à sa place: sur les nappes décorées des jours de fête et non sur la table des repas quotidiens.

Les quelques desserts proposés dans notre régime (mousse aux fruits, muffins aux fruits tropicaux, par exemple) doivent leur goût sucré uniquement aux fruits qui entrent dans leur composition. Bien que pauvres en calories, ils sont suffisamment nourrissants pour figurer au petit déjeuner, repas qui leur convient davantage, de toute façon, que la collation avant d'aller au lit, à bannir de vos habitudes alimentaires.

# Les menus

Il se peut que vous vous sentiez dépassé par la nouveauté du régime végétarien. Planifier les repas, faire les achats, cuisiner: cela vous apparaîtra peut-être comme une tâche insurmontable. Ne vous découragez pas. Apprendre à bien manger est une science qui se maîtrise avec le temps. Heureusement, cela n'a rien de compliqué et le résultat, traduit par des kilos en moins et une mine resplendissante, en vaut largement la peine. Toute votre vie, vous bénéficierez de ces quelques semaines d'apprentissage.

Les quatorze menus quotidiens que vous trouverez dans les pages suivantes vous sont proposés à titre d'exemple, afin de démontrer en quoi consiste un repas végétarien bien équilibré. Nous avons également créé un menu type pour chaque saison. En effet, plus on vit en harmonie avec la nature, plus on ressent le besoin d'adapter son régime alimentaire aux changements de saison.

La variété des mets figurant sur les menus illustre les possibilités infinies de la cuisine végétarienne. Quels que soient vos goûts, vous trouverez des mets qui vous plairont. Bien qu'il soit important de varier l'alimentation, il n'est pas nécessaire de changer complètement votre menu d'un jour à l'autre. Si le dîner du lundi vous a plus, rien ne vous empêche de manger la même chose le lendemain.

Ajoutez à chaque menu quotidien un ou deux fruits crus, dont un agrume, ou encore un fruit et un verre de jus de tomate. Les seules restrictions concernent les avocats et les bananes. Les premiers sont à éviter complètement à cause de leur teneur élevée en calories et en matières grasses. Si vous désirez une banane comme collation, n'en mangez qu'une moitié seulement (une demi-banane a la valeur d'un fruit entier).

# Menu du dimanche — 1<sup>er</sup> jour

**Petit déjeuner**

|  | Cal. | Prot. |
|---|---|---|
| Crème de riz au sésame *67* | | |
| accompagnée de | | |
| 1 t. (240 ml) de lait écrémé | 302 | 13,4 |
| ½ t. (120 ml) de bleuets | 45 | 0,5 |
| | 347 | 13,9 |

**Déjeuner**

| | Cal. | Prot. |
|---|---|---|
| Salade Tokyo *143* | 269 | 23,5 |

**Dîner**

| | Cal. | Prot. |
|---|---|---|
| 1 portion de soufflé au millet | 303 | 19,0 |
| accompagné de | | |
| 1 t. (240 ml) de haricots verts cuits à l'étuvée | 35 | 2,1 |
| 1 portion de salade Mycos | 62 | 4,0 |
| | 400 | 25,1 |

**TOTAL DE LA JOURNÉE: 1 016 calories et 62,5 g de protéines**

# Menu du lundi — 2<sup>e</sup> jour

**Petit déjeuner**

|  | Cal. | Prot. |
|---|---|---|
| Muesli | 367 | 18,4 |

**Déjeuner**

| | Cal. | Prot. |
|---|---|---|
| 2 portions de salade caucasienne | 124 | 9,9 |
| 1 tranche de pain de seigle au levain | 100 | 4,3 |
| | 224 | 14,2 |

**Dîner**

| | Cal. | Prot. |
|---|---|---|
| 1 grosse portion de chop-suey végétarien servi sur | 207 | 16,2 |
| ¹/₂ t. (120 ml) de riz brun cuit | 116 | 2,4 |
| Salade pourpre | 76 | 3,2 |
| | 399 | 21,8 |

**TOTAL DE LA JOURNÉE: 990 calories et 54,4 g de protéines**

# Menu du mardi — 3$^e$ jour

**Petit déjeuner**

|  |  | Cal. | Prot. |
|---|---|---|---|
| 2 | muffins aux fruits tropicaux *159* | 238 | 6,6 |
| 10 | cerises (guignes au goût sucré) | 47 | 0,9 |
| 1 | t. (240 ml) de lait écrémé | 88 | 8,8 |
|  |  | 373 | 16,3 |

**Déjeuner**

|  |  | Cal. | Prot. |
|---|---|---|---|
| 1 | portion de soupe provençale | 97 | 3,9 |
| 1 | portion de salade verte du dimanche relevée de | 45 | 3,5 |
| 1 | c. à soupe de soyanaise | 19 | 1,1 |
|  |  | 161 | 8,5 |

**Dîner**

|  |  | Cal. | Prot. |
|---|---|---|---|
| 2 | portions de quiche au brocoli | 442 | 30,6 |
| 1 | t. (240 ml) de carottes râpées relevées de | 46 | 1,2 |
| 2 | c. à soupe de soyanaise | 19 | 1,1 |
|  |  | 507 | 32,9 |

**TOTAL DE LA JOURNÉE: 1 041 calories et 57,7 g de protéines**

# Menu du mercredi — 4<sup>e</sup> jour

**Petit déjeuner**

|  | | Cal. | Prot. |
|---|---|---|---|
| 1 | demi-pamplemousse | 56 | 0,7 |
| 1 | portion de tofu brouillé | 190 | 16,0 |
| 2 | tranches de pain de blé entier rôti | 110 | 4,8 |
|  | | 356 | 21,5 |

**Déjeuner**

| 1 | portion de potage aux haricots | 157 | 8,3 |
|---|---|---|---|
| 1 | tranche de pain de seigle au levain | 100 | 4,3 |
|  | | 257 | 12,6 |

**Dîner**

| 1 | portion de carrés aux épinards | 178 | 23,3 |
|---|---|---|---|
| 1 | pomme de terre de grosseur moyenne, en robe des champs, relevée de | 104 | 2,9 |
| 2 | c. à soupe de vinaigrette au yoghourt | 16 | 1,6 |
| 1 | t. (240 ml) de salade de carottes | 55 | 1,3 |
|  | | 353 | 29,1 |

**TOTAL DE LA JOURNÉE: 966 calories et 63,2 g de protéines**

# Menu du jeudi — 5ᵉ jour

**Petit déjeuner**

| | Cal. | Prot. |
|---|---|---|
| ¹/₂ t. (120 ml) de gruau cuit, accompagné de | 116 | 2,4 |
| 1 t. (240 ml) de mousse aux fruits et de *l'é* | 194 | 9,8 |
| ¹/₂ t. (120 ml) de fraises | 27 | 0,7 |
| | 337 | 12,9 |

**Déjeuner**

| | | |
|---|---|---|
| 1 sandwich Noémi | 333 | 23,2 |

**Dîner**

| | | |
|---|---|---|
| 1 portion de bouilli de légumes au fromage | 265 | 21,9 |
| 1 portion de salade verte du dimanche relevée de | 45 | 3,5 |
| 1 c. à soupe de vinaigrette au shoyu et au citron | 16 | 0,2 |
| | 326 | 25,6 |

**TOTAL DE LA JOURNÉE: 996 calories et 61,7 g de protéines**

# Menu du vendredi — 6ᵉ jour

**Petit déjeuner**

| | Cal. | Prot. |
|---|---|---|
| 2 crêpes de Séraphin farcies de  | 233 | 12,3 |
| ¹/₂ t. (120 ml) de mousse aux fruits | 97 | 4,9 |
| | 330 | 17,2 |

**Déjeuner**

| | Cal. | Prot. |
|---|---|---|
| ¹/₂ t. (120 ml) de fromage Ricotta fait de lait partiellement écrémé | 170 | 14,0 |
| équivalent de 2 t. (480 ml) de laitue Boston relevée de | 16 | 1,4 |
| 1 c. à soupe d'oignons verts hachés et de | 2 | 0,1 |
| 1 c. à soupe de vinaigrette au shoyu et au citron | 16 | 0,2 |
| 1 tranche de pain riche en protéines | 77 | 4,6 |
| | 281 | 20,3 |

**Dîner**

| | Cal. | Prot. |
|---|---|---|
| 1 portion de gratin de légumes | 267 | 16,5 |
| 1 demi-artichaut avec jus de citron | 30 | 1,5 |
| salade de cresson et d'endives | 20 | 3,9 |
| (soit l'équivalent de 1 t. (240 ml) d'endives et 5 à 8 brins de cresson) relevée de | | |
| 1 c. à soupe de vinaigrette au shoyu et au citron | 16 | 0,2 |
| | 333 | 22,1 |

**TOTAL DE LA JOURNÉE: 944 calories et 59,6 g de protéines**

# Menu du samedi — 7<sup>e</sup> jour

**Petit déjeuner**

|  |  | Cal. | Prot. |
|---|---|---|---|
| 2 | rôties de pain de blé entier recouvertes de | 110 | 4,8 |
| 1/3 | t. (80 ml) de fromage Ricotta écrémé et parsemées de | 113 | 9,3 |
| 2 | c. à soupe de graines de citrouille | 97 | 5,1 |
| 1 | pêche de grosseur moyenne, nature | 38 | 0,6 |
|  |  | 358 | 19,8 |

**Déjeuner**

|  |  | Cal. | Prot. |
|---|---|---|---|
| 1 | portion de brouet de Miso accompagné de | 98 | 5,8 |
| 1 | tranche de pain de seigle au levain | 100 | 4,3 |
|  | salade de cresson et d'endives relevée de | 20 | 3,9 |
| 2 | c. à soupe de soyanaise | 38 | 2,2 |
|  |  | 256 | 16,2 |

**Dîner**

|  |  | Cal. | Prot. |
|---|---|---|---|
| 1 | portion de chou en spaghettis | 417 | 22,5 |

**TOTAL DE LA JOURNÉE: 1 031 calories et 58,5 g de protéines**

# Menu du dimanche — 8ᵉ jour

**Petit déjeuner**

|  | Cal. | Prot. |
|---|---|---|
| ½ t. (120 ml) de riz brun cuit et refroidi garni de | 116 | 2,4 |
| 1½ c. à soupe de raisins secs, de | 40 | 0,4 |
| 1 c. à soupe de graines de tournesol, et de | 51 | 2,2 |
| 1 pomme râpée, dans | 61 | 0,2 |
| 1 t. (240 ml) de lait écrémé | 88 | 8,8 |
|  | 356 | 14,0 |

**Déjeuner**

|  | Cal. | Prot. |
|---|---|---|
| Salade Tokyo | 269 | 23,5 |

**Dîner**

|  | Cal. | Prot. |
|---|---|---|
| 1 portion de chou à la bourguignonne relevé de | 277 | 6,8 |
| ½ t. (120 ml) de simili-crème sure | 75 | 16,0 |
| 1 portion de salade Mycos | 62 | 4,0 |
|  | 414 | 26,8 |

**TOTAL DE LA JOURNÉE: 1 039 calories et 64,3 g de protéines**

# Menu du lundi — 9ᵉ jour

**Petit déjeuner**

| | | Cal. | Prot. |
|---|---|---|---|
| | Riz aux dattes | 356 | 17,4 |
| 1 | petite orange | 50 | 1,2 |
| | | 406 | 18,6 |

**Déjeuner**

| | | Cal. | Prot. |
|---|---|---|---|
| 1 | portion de salade picolo relevée de | 43 | 4,3 |
| 1/2 | t. (120 ml) de fromage blanc (cottage) écrémé et de | 86 | 17,0 |
| 1/4 | t. (60 ml) de vinaigrette California | 38 | 1,0 |
| | | 167 | 22,3 |

**Dîner**

| | | Cal. | Prot. |
|---|---|---|---|
| 1 | portion de ratatouille servie sur | 215 | 15,6 |
| 1/2 | t. (120 ml) de millet cuit | 95 | 2,8 |
| | salade verte du dimanche assaisonnée de | 45 | 3,5 |
| 1 | c. à soupe de vinaigrette au shoyu et au citron | 16 | |
| | | 371 | 21,9 |

**TOTAL DE LA JOURNÉE: 944 calories et 62,8 g de protéines**

# Menu du mardi — 10e jour

**Petit déjeuner**

| | Cal. | Prot. |
|---|---|---|
| Polenta | 301 | 15,8 |
| 1 t. (240 ml) de fraises fraîches crues | 55 | 1,0 |
| | 356 | 16,8 |

**Déjeuner**

| | Cal. | Prot. |
|---|---|---|
| 1 portion d'œufs pochés sauce tomate | 156 | 8,9 |
| 1 tranche de pain riche en protéines | 77 | 4,6 |
| 1 portion de salade picolo relevée de | 43 | 4,3 |
| 1 c. à soupe de soyanaise | 19 | 1,1 |
| | 295 | 18,9 |

**Dîner**

| | Cal. | Prot. |
|---|---|---|
| 1 portion de jardinière, nappée de | 115 | 9,3 |
| 1 portion de sauce velours aux champignons | 146 | 12,0 |
| 1 portion de salade pousse-pousse | 46 | 2,9 |
| | 307 | 24,2 |

**TOTAL DE LA JOURNÉE: 958 calories et 59,9 g de protéines**

# Menu du mercredi — 11ᵉ jour

## Petit déjeuner

| | Cal. | Prot. |
|---|---|---|
| 1 t. (240 ml) de gruau cuit avec | 132 | 4,8 |
| 1½ c. à soupe de raisins secs (jeter dans l'eau en même temps que les flocons d'avoine) | 40 | 0,6 |
| 2 c. à soupe de germe de blé | 38 | 2,8 |
| 1 pêche nature | 38 | 0,6 |
| 1 t. (240 ml) de yoghourt | 127 | 13,0 |
| | 375 | 21,8 |

## Déjeuner

| | | |
|---|---|---|
| 1 pizza minute | 152 | 11,0 |
| 2 t. (480 ml) de laitue déchiquetée relevée de | 16 | 1,4 |
| 1 c. à soupe de vinaigrette au shoyu et au citron | 16 | 0,2 |
| | 184 | 12,6 |

## Dîner

| | | |
|---|---|---|
| 1 portion de boulghour aux épinards accompagnée de | 388 | 24,5 |
| ½ t. (120 ml) de betteraves en tranches, cuites et saupoudrées d'une demi-cuillerée à thé de gomasio | 27 | 0,9 |
| | 6 | 0,1 |
| 1 portion de salade Mycos | 62 | 4,0 |
| | 483 | 29,5 |

**TOTAL DE LA JOURNÉE: 1 042 calories et 63,9 g de protéines**

# Menu du jeudi — 12$^e$ jour

**Petit déjeuner**

| | | Cal. | Prot. |
|---|---|---|---|
| 2 | toasts (pain de blé entier) tartinés de | 110 | 4,8 |
| 2 | c. à soupe de fromage blanc (cottage) écrémé | 21 | 4,2 |
| 2 | œufs pochés ou durs | 164 | 13,0 |
| 1 | orange de grosseur moyenne | 66 | 1,0 |
| | | 361 | 23 |

**Déjeuner**

| | | | |
|---|---|---|---|
| 1 | portion de soupe de janvier | 169 | 9,9 |
| 1 | portion de salade d'épinards et de champignons | 39 | 4,4 |
| | | 208 | 14,3 |

**Dîner**

| | | | |
|---|---|---|---|
| 1 | portion de sarrasin au tofu | 300 | 14,7 |
| 1 | t. (240 ml) de courgettes (zucchini), assaisonnées de | 22 | 1,8 |
| 1 | c. à thé de gomasio | 11 | 0,3 |
| | Salade pourpre | 82 | 6,7 |
| | | 415 | 23,5 |

**TOTAL DE LA JOURNÉE: 984 calories et 60,8 g de protéines**

# Menu du vendredi — 13ᵉ jour

**Petit déjeuner**

|  | Cal. | Prot. |
|---|---|---|
| 1 t. (240 ml) de yoghourt garni de | 127 | 13,0 |
| 1 pomme moyenne, râpée | 96 | 0,3 |
| 2 c. à soupe de graines de tournesol et | 122 | 4,4 |
| 2 c. à soupe de germe de blé | 38 | 2,8 |
|  | 383 | 20,5 |

**Déjeuner**

|  | Cal. | Prot. |
|---|---|---|
| 1 portion de salade Canari | 220 | 18,2 |
| 1 t. (240 ml) de laitue romaine ou Boston | 8 | 0,7 |
|  | 228 | 18,9 |

**Dîner**

|  | Cal. | Prot. |
|---|---|---|
| 2 croquettes de lentilles et de fromage nappées de | 232 | 14,6 |
| ¹/₂ t. (120 ml) de sauce tomate express | 74 | 2,8 |
| 1 tranche de pain de blé entier | 55 | 2,2 |
| 1 portion de salade verte du dimanche relevée de | 45 | 3,4 |
| 1 c. à soupe de vinaigrette au shoyu et au citron | 16 | 0,2 |
|  | 422 | 23,2 |

**TOTAL DE LA JOURNÉE: 1 033 calories et 62,6 g de protéines**

# Menu du samedi — 14ᵉ jour

**Petit déjeuner**

| | | Cal. | Prot. |
|---|---|---|---|
| 2 | tranches de pain riche en protéines recouvertes de | 154 | 9,2 |
| | Tartinade Georgia | 155 | 8,9 |
| 1 | t. (240 ml) de cantaloup en cubes | 48 | 1,1 |
| | | 357 | 19,2 |

**Déjeuner**

| | | Cal. | Prot. |
|---|---|---|---|
| ½ | t. (120 ml) de fromage blanc (cottage) écrémé accompagné de | 86 | 17,0 |
| 5 | radis moyens, de | 4 | 0,2 |
| 1 | c. à soupe d'oignons verts hachés et | 2 | 0,1 |
| 1 | t. (240 ml) de laitue, relevée de | 8 | 0,7 |
| 1 | c. à soupe de vinaigrette au shoyu et au citron | 16 | 0,2 |
| | | 116 | 18,2 |

**Dîner**

| | | Cal. | Prot. |
|---|---|---|---|
| 3 | croquettes de tofu, relevées de | 297 | 16,7 |
| 1 | portion de sauce à l'oignon | 36 | 1,0 |
| 1 | t. (240 ml) de haricots verts cuits | 31 | 2,0 |
| 1 | petite tomate en tranche assaisonnée de | 27 | 1,4 |
| 1 | c. à thé de gomasio | 11 | 0,3 |
| | Mousse aux fraises | 178 | 12,4 |
| | | 580 | 33,9 |

**TOTAL DE LA JOURNÉE: 1 053 calories et 71,2 g de protéines**

# Menu du printemps

Petit déjeuner

|  | Cal. | Prot. |
|---|---|---|
| Muesli (sans la pomme) | 306 | 18,2 |
| 1 t. (240 ml) de fraises | 55 | 1,0 |
|  | 361 | 19,2 |

Déjeuner

|  | Cal. | Prot. |
|---|---|---|
| 1 portion de crème d'asperges | 139 | 9,8 |
| 1 portion de croque-fromage | 183 | 10,0 |
|  | 322 | 19,8 |

Dîner

salade printanière

TOTAL DE LA JOURNÉE: 990 cal       et 63,3 g de protéines

# Menu d'été

**Petit déjeuner**

|  | Cal. | Prot. |
|---|---|---|
| 1 t. (240 ml) de yoghourt accompagné de | 127 | 13,0 |
| 1 t. (240 ml) de framboises mûres et saupoudré de | 70 | 1,5 |
| 2 c. à soupe de germe de blé et de | 36 | 2,6 |
| 2 c. à soupe de graines de citrouille | 97 | 5,1 |
|  | 330 | 22,2 |

**Déjeuner**

|  | Cal. | Prot. |
|---|---|---|
| 1 portion de salade Confetti | 185 | 7,3 |
| 1 t. de laitue Boston accompagnée de | 8 | 0,7 |
| 1 petite tomate en tranches | 27 | 1,4 |
|  | 220 | 9,4 |

**Dîner**

|  | Cal. | Prot. |
|---|---|---|
| 1 portion de tarte mexicaine | 258 | 15,3 |
| 1 t. (240 ml) de feuilles de chou « collard » cuites* | 43 | 5,0 |
| 1 portion de salade caucasienne | 62 | 4,9 |
|  | 363 | 25,2 |

**TOTAL DE LA JOURNÉE: 913 calories et 56,8 g de protéines**

---

*Les légumes verts en feuilles ne sont pas seulement une bonne source de vitamines et de minéraux, mais ils renferment aussi des protéines. Quel dommage que la plupart des gens ne connaissent que les épinards! Les feuilles de moutarde et de navet, le chou frisé, le chou « collard » gagneraient tant à être connus. Aussi savoureux crus que cuits, ils ont aussi l'avantage d'être résistants, qualité inappréciable pour nos jardins potagers, souvent mis à l'épreuve par les caprices de notre été nordique.

# Menu d'automne

## Petit déjeuner

| | Cal. | Prot. |
|---|---|---|
| 1 portion de croque-fromage | 183 | 10,4 |
| 1 petite pomme en tranches | 61 | 0,3 |
| 1 t. (240 ml) de raisins | 70 | 1,3 |
| | 314 | 12,0 |

## Déjeuner

| | Cal. | Prot. |
|---|---|---|
| salade moisson | 286 | 31,1 |
| 1 tranche de pain de blé entier | 56 | 2,4 |
| | 342 | 33,5 |

## Dîner

| | Cal. | Prot. |
|---|---|---|
| assiettée paysanne (1 portion) | 228 | 15,4 |
| 1 t. (240 ml) de feuille de navet cuites | 29 | 3,2 |
| 1 tomate de grosseur moyenne, en tranches, saupoudrée de | 27 | 1,4 |
| 1 c. à thé de gomasio | 11 | 0,3 |
| | 295 | 20,3 |

**TOTAL DE LA JOURNÉE: 951 calories et 65,8 g de protéines**

# Menu d'hiver

## Petit déjeuner

|  |  | Cal. | Prot. |
|---|---|---|---|
| 1 | crêpe de Séraphin garnie de | 116 | 6,1 |
| 1 | t. (240 ml) de yoghourt et de | 127 | 13,0 |
| 1 | petite pomme râpée | 61 | 0,2 |
|  |  | 304 | 19,3 |

## Déjeuner

|  |  |  |  |
|---|---|---|---|
| 1 | portion de bortsch garnie de | 125 | 3,7 |
| 1/2 | t. (210 ml) de simili-crème sure | 75 | 16,0 |
| 1 | tranche de pain de seigle au levain | 100 | 4,3 |
|  |  | 300 | 24 |

## Dîner

|  |  |  |  |
|---|---|---|---|
| 1 | portion de courge farcie | 288 | 13,3 |
|  | salade pourpre | 82 | 3,3 |
| 1 | t. (240 ml) de carottes cuites | 45 | 1,3 |
|  | assaisonnées avec |  |  |
| 1 | c. à thé de gomasio | 11 | 0,3 |
|  |  | 426 | 18,2 |

TOTAL DE LA JOURNÉE: 1 030 calories et 61,5 g de protéines

# Les recettes

À notre avis, les recettes destinées à un régime amaigrissant doivent posséder quatre qualités: renfermer peu de calories, être nourrissantes, appétissantes et, condition primordiale à nos yeux, être délicieuses. Personne ne persévérera dans un régime si les plats qui lui sont proposés sont médiocres ou insipides, c'est l'évidence même. Pourtant, bien des méthodes d'amaigrissement négligent cet aspect fondamental.

Comme les goûts diffèrent d'une personne à l'autre, n'hésitez pas au besoin à remplacer un ingrédient par un autre qui vous plaît davantage (assurez-vous, cependant, qu'il ait à peu près la même valeur en calories et en protéines: nos tableaux vous y aideront.) Toutes nos recettes peuvent également être réduites de moitié ou doublées selon la nécessité. Vous avez peut-être remarqué que l'ail revient fréquemment dans nos plats. Ses vertus médicinales sont très nombreuses; de plus, nous sommes convaincu, bien qu'aucune preuve scientifique ne l'ait démontré, que l'ail aide à perdre du poids. Ceci dit, vous êtes libre de l'employer ou non dans vos recettes.

Autre favori de nos recettes, le shoyu (souvent appelé à tort tamari) est une sauce soya naturelle d'origine japonaise. Il nous arrive aussi d'employer de l'huile de sésame rôtie: quelques gouttes suffisent pour relever la saveur d'un plat, car son goût est très prononcé. Il en va de même de l'huile d'olive de très bonne qualité. L'huile de tournesol non raffinée, d'une saveur neutre, conviendra aux usages habituels. Nous n'employons qu'une cuillerée à thé pour les fritures légères dans le poêlon: la quantité est minime, mais elle suffit.

Nous avons restreint l'usage du sel. Le sodium se retrouve à l'état naturel dans un grand nombre d'aliments, mais la viande et tous les produits raffinés et traités en renferment des quantités particulièrement élevées. Comme nous avons rayé ces aliments de notre régime, nous pouvons nous permettre de saler légèrement nos plats au cours de leur cuisson.

Lorsqu'une recette contient du yoghourt, il s'agit toujours d'un yoghourt de lait écrémé auquel on a ajouté des solides de lait non gras. Ce type de yoghourt présente un nombre moindre de calories par rapport à sa teneur en protéines. Pour la même raison, nous n'employons que du fromage blanc « cottage » sec et écrémé, vendu sous forme de briques (voir la marque de commerce Liberty).

La simplicité de nos recettes est telle qu'aucune personne, fût-elle novice dans l'art de cuisiner, n'aura la moindre peine à les réaliser, ce qui n'empêchera pas les cordons bleus de les trouver appétissantes et intéressantes.

Un petit truc, enfin, pour vous faire gagner du temps: lorsque vous préparez des aliments à cuisson lente comme le riz ou des légumineuses, par exemple, faites cuire une plus grande quantité à l'avance. L'ingrédient sera déjà prêt lorsque vous en aurez besoin dans une autre recette. Même une recette comme le soufflé au millet ne prendra que quelques minutes de votre temps si la céréale est déjà cuite.

# Soupes

## Bortsch

**Pour 4 personnes**
1 portion: 125 calories et 3,7 g de protéines

| | Cal. | Prot. |
|---|---|---|
| 2 t. (480 ml) de pommes de terre coupées en dés | 228 | 6,4 |
| 2 t. (480 ml) de betteraves tranchées | 108 | 3,8 |
| 1 panet moyen tranché en rondelles | 98 | 2,2 |
| 1 t. (240 ml) d'oignons hachés | 65 | 2,6 |
| 4 t. (960 ml) d'eau ou de bouillon de légumes | | |
| 1 c. à thé de sel | | |
| 1 ou 2 feuilles de laurier | | |
| $^1/_2$ c. à thé d'estragon | 2 | 0,1 |
| | 501 | 15,1 |

Laver les légumes en les frottant à l'aide d'une brosse dure (ne pas les peler).

Jeter tous les ingrédients dans une grande marmite, couvrir et laisser mijoter jusqu'à ce que les légumes soient tendres.

Battre dans le mélangeur (on peut éclaircir le potage en ajoutant un peu d'eau au besoin).

Servir chaud ou froid dans un bol à la surface duquel flotte une grosse cuillerée de simili crème sure (voir recette p. 152) ou de yoghourt.

Délicieux avec une tranche de pain de seigle au levain.

**Note**
Employer 3 t. (720 ml) d'eau au lieu de 4 si on cuit les légumes dans un autocuiseur.

# Brouet de miso

**Pour 2 personnes**
**1 portion: 144 calories et 10,8 g de protéines**

| | | Cal. | Prot. |
|---|---|---|---|
| 1 | c. à thé d'huile | 41 | |
| 3 | gouttes d'huile de sésame (facultatif) | 3 | |
| 1/3 | t. (80 ml) d'oignon haché | 21 | 0,8 |
| 1/2 | t. (120 ml) de carottes tranchées en rondelles très fines (soit 1 petite carotte) | 20 | 0,5 |
| 1/2 | t. (120 ml) de courgettes (zucchini) tranchées en rondelles | 11 | 0,8 |
| 1 1/2 | t. (360 ml) d'eau | | |
| 1 | t. (240 ml) de tofu coupé en cubes | 164 | 17,8 |
| 1 | c. à soupe de miso | 29 | 1,8 |
| 2 | c. à soupe d'eau chaude | | |
| | | 289 | 21,7 |

Faire rissoler l'oignon et la carotte dans l'huile pendant 1 minute, puis couvrir et laisser cuire à la vapeur, à feu doux, de 2 à 3 minutes.

Ajouter les courgettes, remuer, couvrir et laisser cuire encore 1 minute.

Verser l'eau sur les légumes, porter à ébullition, ajouter les cubes de tofu et laisser mijoter 1 ou 2 minutes.

Dissoudre le miso dans l'eau chaude et verser dans la soupe. Retirer du feu. (Ne pas faire bouillir le miso.) Servir.

# Crème d'asperges

Pour 4 personnes
1 portion: 139 calories et 9,8 g de protéines

|  | Cal. | Prot. |
|---|---|---|
| 2 t. (480 ml) de pommes de terre coupées en cubes | 228 | 6,4 |
| 1¹/₂ t. (360 ml) d'asperges taillées en tronçons de 1″ | 52 | 4,2 |
| 2 t. (480 ml) d'eau | | |
| 1 t. (240 ml) de tofu pilé | 164 | 17,8 |
| ¹/₄ t. (60 ml) de lait écrémé en poudre | 108 | 10,8 |
| 1 t. (240 ml) d'eau | | |
| 1 c. à thé de sel | | |
| 1 c. à thé de cerfeuil | 1 | 0,1 |
| 2 c. à soupe d'oignons verts hachés menu (partie verte de la tige) | 4 | 0,2 |
| | 557 | 39,5 |

Cuire les pommes de terre dans l'eau (environ 10 minutes), puis ajouter les asperges et cuire jusqu'à ce que les légumes soient tendres (environ 5 minutes).

Battre le tofu, le lait en poudre et l'eau dans le mélangeur jusqu'à consistance crémeuse, puis retirer du mélangeur.

Battre les légumes dans le mélangeur, avec leur eau de cuisson.

Verser les deux mélanges dans la soupière, remuer et assaisonner. Garnir d'oignons verts.

# Potage aux haricots

**Pour 4 personnes**
**1 portion: 157 calories et 8,3 g de protéines**

|  | Cal. | Prot. |
|---|---|---|
| ½ t. (120 ml) de haricots secs* | 306 | 20,0 |
| 4 t. (960 ml) d'eau | | |
| 1 t. (240 ml) d'oignon haché | 65 | 2,6 |
| 1½ t. (240 ml) de céleri haché | 30 | 1,6 |
| 1 poivron vert coupé en dés | 16 | 0,9 |
| 1 c. à thé de basilic | 1 | 0,2 |
| ½ c. à thé de marjolaine | 1 | min. |
| 1 boîte de 28 onces (769 g) de tomates | 168 | 7,9 |
| 1 c. à thé de sel | | |
| 1 c. à thé d'huile d'olive pressée | 41 | |
| | 628 | 33,2 |

Laver et trier les haricots; les laisser tremper dans l'eau pendant au moins 8 heures. Égoutter.

Mettre les haricots dans une grande marmite, y verser 4 t. (960 ml) d'eau et porter à ébullition. Réduire la chaleur et laisser mijoter à feu doux pendant 1½ heure ou jusqu'à ce que les haricots soient tendres.

Ajouter l'oignon, le céleri, le poivron, les épices et cuire jusqu'à ce que les légumes soient tendres. Ajouter les tomates et l'huile d'olive. Saler et rectifier l'assaisonnement.

Ce potage est délicieux avec du pain de seigle.

*La recette originale a été confectionnée avec des haricots Great Northern, mais on peut tout aussi bien employer des petits haricots de Lima, des Pinto, des petits haricots blancs (navy beans) ou toute autre variété similaire.

# Soupe de janvier

Pour 4 personnes
1 portion: 169 calories et 9,9 g de protéines

|  | Cal. | Prot. |
|---|---|---|
| ½ t. (120 ml) d'oignons hachés | 32 | 1,3 |
| 2 t. (480 ml) de chou blanc | 34 | 1,8 |
| 1 t. (240 ml) de panais en rondelles | 102 | 2,3 |
| 1 grosse carotte | 42 | 1,1 |
| 1 t. (240 ml) de rutabaga tranché fin | 64 | 1,5 |
| 2 t. (480 ml) d'eau | | |
| ½ t. (120 ml) de fromage râpé | 225 | 14,0 |
| 2 t. (480 ml) de lait écrémé | 176 | 17,6 |
| ½ à 1 c. à thé de thym | 4 | 0,3 |
| 1 c. à thé de sel | | |
| | 679 | 39,9 |

Faire cuire les légumes dans l'eau jusqu'à ce qu'ils soient tendres.

Ajouter le fromage et remuer jusqu'à ce qu'il ait fondu. Verser le lait, assaisonner selon le goût et faire réchauffer sans laisser bouillir.

# Soupe provençale

**Pour 4 personnes**
**1 portion: 97 calories et 3,9 g de protéines**

|  | | Cal. | Prot. |
|---|---|---|---|
| 2 | bulbes d'ail, soit environ 32 gousses | 128 | 6,4 |
| 1 | gros oignon haché | 65 | 2,6 |
| 1 | c. à thé d'huile | 41 | |
| 4 | t. (960 ml) d'eau ou de bouillon de légumes | | |
| 1 | pomme de terre taillée en dés | 104 | 2,9 |
| 1 | ou 2 feuilles de laurier | | |
| $^1/_2$ | c. à thé de thym | 2 | |
| 4 | c. à soupe de shoyu (sauce soya) | 48 | 4,0 |
| | | 388 | 15,9 |

Écraser chaque gousse pour en retirer la peau et hacher.

Faire rissoler les oignons et l'ail dans l'huile de 15 à 20 minutes, à feu doux.

Ajouter l'eau, la pomme de terre, les feuilles de laurier et le thym, et laisser mijoter de 15 à 20 minutes ou jusqu'à ce que les dés de pomme de terre soient tendres.

Verser la sauce soya dans la soupe et assaisonner de cayenne.

En plus d'être délicieux, ce potage met fin à un rhume en moins de deux! N'ayez crainte: le goût n'est pas trop fort et comme l'ail est cuit très longtemps, vous n'incommoderez personne avec votre haleine le lendemain...

### Variante
Omettre la pomme de terre. Après avoir fait frire l'ail et l'oignon, faire mijoter l'eau et les épices pendant 5 minutes, puis ajouter un cube de tofu coupé en dés. Laisser mijoter encore une minute ou deux et ajouter le shoyu. Cette variante est plus riche en protéines.

# Plats de résistance

## Assiette paysanne

**Pour 1 personne**
**1 portion: 288 calories et 15,4 g de protéines**

Cette façon toute simple de servir des haricots n'en fait pas moins un repas savoureux, qui comblera les gros appétits tout en respectant les limites permises en ce qui touche les calories. Il s'agit simplement de faire tremper les haricots (Pinto, doliques à œil noir ou Great Northern) pendant la nuit; le lendemain, on les fait cuire lentement à feu doux jusqu'à ce qu'ils soient bien tendres et que le liquide de cuisson se soit transformé en une sauce savoureuse. Au moment de servir, on assaisonne avec du sel ou du gomasio et une noisette de beurre ou un peu d'huile d'olive.

| | | Cal. | Prot. |
|---|---|---|---|
| 1 | tranche de pain de seigle au levain (ou tout autre pain de grain entier) | 100 | 4,3 |
| ½ | t. (120 ml) de haricots Pinto cuits | 165 | 11,0 |
| ½ | c. à thé d'huile d'olive sel ou gomasio au goût | 21 | |
| 1 | c. à soupe d'oignons verts hachés | 2 | 0,1 |
| | | 288 | 15,4 |

Recouvrir la tranche de pain des haricots dans leur sauce. Garnir d'oignons, de persil frais haché, de ciboulette ou de parmesan finement râpé.

# Bouchées de luzerne

**Pour 4 personnes**
Donne 14 bouchées de 42 calories et 3,9 g de protéines chacune

|  | Cal. | Prot. |
|---|---|---|
| 1 t. (240 ml) de fromage blanc (cottage) de lait écrémé, en brique (marque Liberty) | 172 | 34,0 |
| 1 œuf | 82 | 6,5 |
| 4 c. à soupe de shoyu | 48 | 3,0 |
| 1 gousse d'ail (ou plus si désiré) | 4 | 0,2 |
| 1/4 t. (60 ml) d'oignon émincé | 16 | 0,6 |
| 1/2 t. (120 ml) de céleri émincé | 10 | 0,5 |
| 2 t. (480 ml) de germes de luzerne | 82 | 10,2 |
| 4 c. à soupe de farine de blé entier | 100 | 0,4 |
| 2 c. à thé d'huile | 82 |  |
|  | 596 | 55,4 |

Battre en crème le fromage, l'œuf et la sauce soya. Puis, ajouter tous les autres ingrédients, sauf la farine et l'huile. Bien mélanger avec les mains. Façonner 14 petites croquettes et enrober celles-ci de farine.

Faire chauffer 1 c. à thé d'huile dans un poêlon de fonte ou de teflon et y faire frire la moitié des croquettes en les retournant une fois. Ajouter l'autre cuillerée d'huile et faire frire le reste des bouchées.

Avant de servir, égoutter les bouchées sur du papier absorbant.

## Note
Le truc pour frire les bouchées dans si peu d'huile est, primo, de façonner de *petites* croquettes et secundo, de ne pas les entasser dans le poêlon pour qu'il y ait assez d'espace pour les retourner.

## Variante
Remplacer les 2 t. (480 ml) de germes de luzerne par 1 t. (240 ml) de germes de luzerne et 1 t. (240 ml) de germes de lentilles.

# Bouilli de légumes au fromage

Pour 4 personnes
1 portion: 265 calories et 21,9 g de protéines

|  | Cal. | Prot. |
|---|---|---|
| 2 t. (480 ml) de pommes de terre coupées en cubes | 228 | 6,4 |
| 1 t. (240 ml) de rutabaga coupé en cubes | 60 | 1,5 |
| 1 t. (240 ml) de céleri haché | 20 | 1,1 |
| 2 grosses carottes tranchées en rondelles | 84 | 2,2 |
| 1 t. (240 ml) d'oignons hachés | 65 | 2,6 |
| 1½ t. (360 ml) d'eau | | |
| 1 t. (240 ml) de petits pois frais ou congelés | 122 | 9,1 |
| 1½ t. (360 ml) de fromage blanc (cottage) de lait écrémé | 258 | 51,0 |
| ½ t. (120 ml) de cheddar fort râpé | 225 | 14,0 |
| ½ c. à thé de sel | | |
| | 1 062 | 87,9 |

Laver les légumes et bien les brosser (ne pas les peler), puis les jeter dans une grande marmite remplie de 1½ t. (360 ml) d'eau. Garder les petits pois pour plus tard.

Couvrir, porter à ébullition, puis réduire le feu et cuire à l'étuvée de 15 à 20 minutes, jusqu'à ce que les légumes soient presque tendres.

Ajouter les petits pois et cuire jusqu'à tendreté.

Toujours à feu doux, ajouter les fromages et saler. Remuer à la cuiller de bois jusqu'à ce que le fromage ait fondu.

# Boulghour aux épinards

Pour 2 personnes
1 portion: 388 calories et 24,5 g de protéines

|  |  | Cal. | Prot. |
|---|---|---|---|
| 1 | c. à thé d'huile | 41 |  |
| ½ | t. (120 ml) d'oignon haché | 32 | 1,3 |
| ½ | t. (120 ml) de boulghour à grains fins* | 300 | 9,5 |
| 10 | onces (284 g) d'épinards lavés, essorés et hachés | 72 | 9,2 |
| ¾ | t. (180 ml) de lait écrémé | 66 | 6,6 |
| 1 | c. à thé d'aneth (partie feuillue) | 3 | 0,2 |
| ½ | t. (120 ml) de fromage Ricotta partiellement écrémé | 170 | 14,0 |
| ½ | c. à thé de sel |  |  |
| 4 | c. à soupe de parmesan fraîchement râpé | 92 | 8,2 |
|  |  | 776 | 49,1 |

Dans une grande marmite, faire rissoler l'oignon dans l'huile environ 2 minutes, puis ajouter le boulghour et remuer pendant 1 minute.

Ajouter les épinards et bien mélanger.

Verser le lait et l'aneth sur ce mélange et remuer; puis, couvrir et mettre à feu doux. Laisser cuire de 10 à 12 minutes ou jusqu'à ce que le boulghour soit tendre.

Retirer du feu. Ajouter le fromage Ricotta, saler. Au moment de servir, saupoudrer chaque portion de 2 c. à soupe de parmesan fraîchement râpé.

---

*Aliment de base au Moyen-Orient, le boulghour est fait de blé entier partiellement cuit, puis séché et moulu. Procurez-vous du boulghour à mouture fine pour faire cette recette, car il cuit plus rapidement. On trouve du boulghour dans les magasins d'aliments sains.

# Carrés aux épinards

**Pour 4 personnes**
**1 portion: 178 calories et 23,3 g de protéines**

|  |  | Cal. | Prot. |
|---|---|---|---|
| 280 | g. d'épinards (1 paquet) | 72 | 9,2 |
| 450 | g. (1 lb) de fromage cottage de marque Liberty | 344 | 68,0 |
| 2 | œufs | 164 | 13,0 |
| 1 | c. à thé de sel |  |  |
| 2 | c. à soupe de graines de sésame | 94 | 3,0 |
| 1 | c. à thé d'huile | 41 |  |
|  |  | 715 | 93,2 |

Laver les épinards, les essorer et les déchiqueter.

Dans un grand bol, battre en crème le fromage, les œufs et le sel. Ajouter les épinards et mélanger avec les mains.

Presser ce mélange dans un moule rectangulaire légèrement huilé. (Un plat en pyrex de 28 cm sur 18 cm est l'idéal.)

Parsemer de graines de sésame.

Cuire au four à 350°F (180°C) de 25 à 30 minutes. Placer sous le gril 1 minute ou deux à la fin si on désire que les graines de sésame rôtissent.

# Cassoulet végétarien

**Pour 4 personnes**
**1 portion: 247 calories et 12,1 g de protéines**

|  |  | Cal. | Prot. |
|---|---|---|---|
| ¹/₂ t. (120 ml) de haricots secs* mis à tremper la veille | | 331 | 22,0 |
| 4¹/₂ t. (1,8 L) d'eau | | | |
| ¹/₂ t. (120 ml) d'orge | | 468 | 13,5 |
| 2 t. (480 ml) de chou-fleur | | 54 | 5,4 |
| ¹/₂ t. (120 ml) d'oignon coupé grossièrement | | 32 | 1,3 |
| 1 t. (240 ml) de carottes coupées grossièrement | | 45 | 1,3 |
| 1 t. (240 ml) de champignons tranchés grossièrement | | 20 | 1,9 |
| 1 c. à thé de thym | | 4 | 0,1 |
| 3 c. à soupe de shoyu | | 36 | 3,0 |
| | | **990** | **48,5** |

Jeter l'eau de trempage des haricots et cuire ceux-ci pendant une heure dans une grande marmite couverte.

Ajouter l'orge dans la marmite et cuire encore 1 heure ou jusqu'à ce que les grains et les haricots soient tendres.

Ajouter les légumes et cuire encore une vingtaine de minutes. Assaisonner selon le goût.

---

*Haricots de Lima, haricots Pinto, Great Northern, doliques à œil noir, etc.

# Chou à la bourguignonne

Pour 2 personnes
1 portion: 277 calories et 6,8 g de protéines

|  |  | Cal. | Prot. |
|---|---|---|---|
| 4 | t. (960 ml) de chou rouge en lanières | 88 | 5,6 |
| 2 | t. (480 ml) de pommes de terre tranchées | 228 | 6,4 |
| 1/2 | t. (120 ml) d'oignons en rondelles | 32 | 1,3 |
| 1 | t. (240 ml) de vin rouge | 204 | 0,2 |
| 1 | feuille de laurier | | |
| 1/2 | ou 1 c. à thé d'estragon | 2 | 0,1 |
| 1/2 | c. à thé de sel | | |
| | | 554 | 13,6 |

Mettre d'abord les pommes de terre, puis tous les autres ingrédients dans un autocuiseur. Cuire jusqu'à ce que la soupape de pression s'agite. Retirer de la source de chaleur et laisser la pression tomber normalement. Les légumes auront absorbé le vin et seront tendres. S'ils ne semblent pas suffisamment cuits, remettre sur le feu quelques instants.

Servir avec la simili-crème sûre (voir recette p. 152). Un véritable délice!

**Note**
On peut aussi réaliser cette recette à l'aide d'une marmite ordinaire, mais il faudra probablement employer une plus grande quantité de vin ou, mieux encore, du vin coupé avec de l'eau ou du bouillon.

# Chop suey végétarien

**Pour 4 personnes**
**1 portion: 138 calories et 10,8 g de protéines**

| | Cal. | Prot. |
|---|---|---|
| **Sauce** | | |
| ⅓ t. (80 ml) d'eau froide | | |
| 1 c. à soupe de fécule de maïs ou d'arrow root | 29 | min. |
| ½ c. à thé de miel | 10 | |
| 3 c. à soupe de shoyu (sauce soya) | 36 | 3,0 |
| **Légumes** | | |
| 1 c. à thé d'huile | 41 | |
| ½ c. à thé d'huile de sésame (facultatif) | 20 | |
| 1 ou 2 gousses d'ail écrasées | | |
| 1 ou 2 tranches de gingembre frais (facultatif) | | |
| 1 t. (240 ml) d'oignons émincés | 65 | 2,6 |
| 2 t. (480 ml) de champignons tranchés | 40 | 3,8 |
| 4 t. (960 ml) de haricots germés (mungo ou autre variété) | 148 | 16,0 |
| 8 onces de tofu, tranché en cubes de 1 pouce carré sur ½ pouce d'épaisseur | 164 | 17,8 |
| | 553 | 53,2 |

Le truc pour faire cuire des pousses de haricots (ou tout autre légume) à la chinoise est de les faire rissoler rapidement à feu très vif. Préparez donc tous vos ingrédients à l'avance.

Dissoudre la fécule dans l'eau, le miel et la sauce soya. Mettre de côté.

Faire chauffer l'huile. Jeter l'ail et le gingembre dans la poêle et frire jusqu'à ce qu'ils soient bruns, presque brûlés. Retirer les aromates de la poêle.

Mettre les oignons dans la poêle et frire à feu vif pendant 2 minutes en remuant constamment (employer une spatule: le mouvement consiste à retourner les légumes plutôt qu'à les remuer.)

Ajouter les champignons et frire de la même façon pendant 1 minutes, puis faire cuire les haricots pendant 3 minutes, toujours à feu vif.

Couvrir, réduire la cuisson à feu doux et laisser cuire à la vapeur pendant 3 minutes environ.

Remettre à feu vif. Si vous vous servez d'un wok, repoussez les légumes à la périphérie et versez la sauce au milieu. Chauffer jusqu'à ce que la sauce épaississe.

À défaut de wok, faire chauffer la sauce dans un petit chaudron.

Verser la sauce sur les légumes et mélanger. Sur feu doux, ajouter le tofu et mêler délicatement aux autres ingrédients. Couvrir et laisser cuire à la vapeur de 2 à 3 minutes, jusqu'à ce que le tofu soit bien chaud.

Servir sur du riz.

# Chou en spaghettis

**Pour 1 personne**
**1 portion: 417 calories et 22,5 g de protéines**

|  |  | Cal. | Prot. |
|---|---|---|---|
| 2 | t. (480 ml) de chou détaillé en lanières fines et longues | 58 | 2,8 |
| ¾ | t. (180 ml) de sauce tomate express | 111 | 3,6 |
| ½ | t. (120 ml) de cheddar râpé | 225 | 14,0 |
| 1 | c. à soupe de parmesan râpé | 23 | 2,1 |
|  |  | **417** | **22,5** |

Faire cuire à la vapeur les lanières de chou.

Déposer le chou sur le plat de service, napper de sauce tomate et saupoudrer de fromage.

# Courge farcie

Pour 2 personnes
1 portion: 288 calories et 13,3 g de protéines

|  |  | Cal. | Prot. |
|---|---|---|---|
| 1 | courge de grosseur moyenne, variété Acorn | 172 | 6,0 |
| 1 | c. à thé d'huile | 41 | |
| 1/4 | t. (60 ml) d'oignons hachés | 16 | 0,6 |
| 1/4 | t. (60 ml) de céleri haché | 5 | 0,2 |
| 1/2 | t. (120 ml) de riz brun cuit (voir mode de cuisson p. 170) | 116 | 2,4 |
| 1/2 | t. (120 ml) de fromage Ricotta partiellement écrémé | 170 | 14,0 |
| 1/2 | c. à thé de sel | | |
| 2 | c. à soupe de fromage râpé | 56 | 3,5 |
| | | 576 | 26,7 |

Couper la courge en deux, l'épépiner et retirer la membrane. Cuire au four à 350°F (180°C) pendant 1 heure ou jusqu'à ce que le fruit soit tendre.

Quelque temps avant la fin de la cuisson, faire revenir le céleri et l'oignon dans l'huile.

Évider soigneusement les deux moitiés de courge en laissant environ 1/4″ de chair sur les bords.

Mélanger la pulpe avec tous les autres ingrédients, sauf le fromage, et farcir les fruits de ce mélange. Parsemer de fromage et cuire au four à 375°F (190°C) pendant 10 minutes.

# Croquettes d'aubergine

Donne 8 croquettes de 87 calories et 4,4 g de protéines chacune

| | Cal. | Prot. |
|---|---|---|
| $3^2/_3$ t. (880 ml) d'aubergine taillée en cubes (soit une aubergine de grosseur moyenne) | 139 | 7,3 |
| 1 t. (240 ml) d'eau | | |
| $^2/_3$ t. (240 ml) de flocons d'avoine | 208 | 7,3 |
| $^1/_2$ t. (120 ml) de cheddar fort | 225 | 14,0 |
| 2 c. à soupe de persil | 2 | 0,1 |
| $^1/_4$ t. (60 ml) du liquide de cuisson des aubergines | | |
| $^1/_2$ c. à thé de sel | | |
| 1 œuf | 82 | 6,5 |
| 1 c. à thé d'huile | 41 | |
| | 697 | 35,2 |

Cuire les cubes d'aubergine dans l'eau jusqu'à ce que la pulpe soit tendre. Verser dans une passoire et conserver le liquide de cuisson. Réduire l'aubergine en purée.

Mélanger la purée avec le gruau, le fromage et le persil, puis verser $^1/_4$ t. (60 ml) de l'eau de cuisson préalablement salée et remuer quelques instants.

Laisser le mélange reposer environ 10 minutes, jusqu'à ce que le gruau ait absorbé le liquide (la pâte devra être assez épaisse, comme celle d'une pâte à biscuits au gruau. Si la vôtre est trop liquide, laissez-la reposer plus longtemps ou ajoutez un peu de gruau.)

Battre l'œuf dans le mélange.

Badigeonner d'une cuillerée d'huile une petite plaque à biscuits.

Déposer sur la plaque des cuillerées à soupe de pâte et cuire à 375°F (190°C) pendant environ 40 minutes, en retournant les croquettes après 20 minutes de cuisson. (Vous constatez qu'elles sont prêtes lorsqu'elles prennent une teinte de brun doré).

Dresser sur un plat de service et napper de sauce velours (voir recette p. 151).

**Note**
Une façon plus rapide d'apprêter ces croquettes est de les faire frire dans un poêlon. Variante réservée, bien sûr, à ceux qui ne suivent pas un régime.

# Croquettes de lentilles et de fromage

**6 croquettes**
**1 croquette: 116 calories et 7,3 g de protéines**

|  |  | Cal. | Prot. |
|---|---|---|---|
| 1½ t. (360 ml) de lentilles cuites ou | | 318 | 24,0 |
| ½ t. (120 ml) de lentilles sèches cuites dans | | | |
| 1½ t. (360 ml) d'eau pendant 45 à 60 minutes ou jusqu'à ce que l'eau se soit évaporée | | | |
| 2 c. à soupe d'oignon émincé | | 8 | 0,4 |
| ¼ t. (60 ml) de céleri haché menu | | 5 | 0,2 |
| ½ t. (120 ml) de fromage râpé (Cheddar fort) | | 225 | 14,0 |
| 1 c. à soupe de farine de blé entier | | 25 | 1,0 |
| ½ c. à thé de sauge | | 1 | 0,4 |
| 2 c. à soupe de shoyu | | 24 | 2,0 |
| 2 c. à soupe de farine de blé entier | | 50 | 2,0 |
| 1 c. à thé d'huile | | 41 | |
| | | **697** | **44,0** |

Réduire les lentilles en purée, puis ajouter tous les autres ingrédients: oignon, céleri, fromage, farine et assaisonnement.

Former 6 petites croquettes et les enrober de farine. Huiler une tôle à biscuits avec la cuillerée à thé d'huile.

Disposer les croquettes sur la tôle et cuire au four à 375°F (190°C) pendant 30 minutes ou jusqu'à ce qu'elles soient brunes. Les retourner une fois pendant la cuisson.

# Croquettes de tofu

**Donne 6 croquettes de 99 calories et 5,5 g de protéines chacune**

| | Cal. | Prot. |
|---|---|---|
| 1 t. (240 ml) de tofu écrasé | 164 | 17,8 |
| 1 t. (240 ml) de riz brun cuit | 178 | 4,9 |
| (voir mode de cuisson p. 170) | | |
| ½ t. (120 ml) de céleri haché menu | 10 | 0,5 |
| 1 ou 2 gousses d'ail, selon le goût | 4 | 0,2 |
| 1 c. à soupe de levure alimentaire ou | 23 | 3,1 |
| de levure Torula | | |
| 1 c. à soupe de beurre d'arachides | 93 | 4,4 |
| 2 c. à soupe de shoyu | 24 | 0,2 |
| 3 ou 4 gouttes d'huile de sésame | 6 | |
| ½ c. à thé de sauge | 1 | |
| 2 c. à soupe de farine de blé entier | 50 | 2,0 |
| 1 c. à thé d'huile | 41 | |
| | 594 | 33,1 |

Mélanger tous les ingrédients, sauf la farine et l'huile, et façonner 6 croquettes. Enrober celles-ci de farine et les déposer sur une plaque à biscuits badigeonnée d'une cuillerée à thé d'huile.

Cuire au four à 400°F (200°C) de 25 à 30 minutes en retournant les croquettes une fois au milieu de la cuisson.

Servir avec la sauce à l'oignon.

# Gratin de légumes

Pour 4 personnes
1 portion: 267 calories et 16,5 g de protéines

|  | | Cal. | Prot. |
|---|---|---|---|
| 1 | pomme de terre de grosseur moyenne | 104 | 2,9 |
| 2 | branches de céleri | 14 | 0,8 |
| 2 | branches de brocoli | 94 | 10,6 |
| 1 | gros oignon | 65 | 2,6 |
| 2 | carottes de grosseur moyenne | 60 | 1,6 |
| 1 | t. (240 ml) de sauce béchamel minceur (voir recette p. 148) | 204 | 11,8 |
| 1 | t. (240 ml) de fromage râpé | 420 | 31,2 |
|  | chapelure provenant de 2 tranches de pain de blé entier | 110 | 4,8 |
|  |  | 1 071 | 66,3 |

Laver les légumes à l'eau claire et brosser les carottes et la pomme de terre (ne pas les peler).

Trancher les légumes en gros morceaux et les faire cuire à la vapeur jusqu'à ce qu'ils soient mi-tendres, mi-croquants, puis les mettre dans un plat aux côtés peu profonds pouvant aller au four.

Verser la béchamel sur les légumes, recouvrir de fromage et saupoudrer de chapelure.

Mettre sous le gril environ 5 minutes ou jusqu'à ce que le fromage ait fondu et que la chapelure soit dorée.

# Jardinière

**Pour 2 personnes**
**1 portion: 115 calories et 9,3 g de protéines**

|  | Cal. | Prot. |
|---|---|---|
| 1  grosse carotte tranchée en rondelles fines | 42 | 1,1 |
| 1  t. (240 ml) de navet en tranches fines | 39 | 1,3 |
| 2  branches de brocoli, grosseur moyenne | 96 | 10,8 |
| 2  t. (240 ml) de chou-fleur | 54 | 5,4 |
|  | **231** | **18,6** |

Placer les rondelles de carotte et les tranches de navet dans une marguerite ou dans un tamis en métal.

Trancher les tiges de brocoli en rondelles plutôt minces et placer celles-ci sur les carottes. Disposer les bouquets de brocoli tout autour. Séparer le chou-fleur en bouquets et placer ceux-ci sur les carottes.

Mettre la marguerite ou le tamis dans une grande marmite contenant environ ½ t. (120 ml) d'eau. Bien couvrir.

Porter l'eau à ébullition, puis ramener à feu doux et cuire à l'étuvée jusqu'à ce que les légumes soient tendres.

Dresser joliment sur un plat de service préchauffé et napper de sauce velours (voir recette p. 151).

**Note**
Cuits de cette façon, les légumes gardent plus de couleur, de goût et de vitamines. Naturellement, vous pouvez varier les légumes à l'infini, selon la saison et votre goût.

# Oeufs pochés sauce tomate

**Pour 2 personnes**
**1 portion: 156 calories et 8,9 g de protéines**

|  | Cal. | Prot. |
|---|---|---|
| 1  t. (240 ml) de sauce tomate express (voir recette p. 150) | 148 | 4,8 |
| 2  œufs | 164 | 13,0 |
|  | 312 | 17,8 |

Dans une casserole suffisamment grande, faites mijoter la sauce tomate.

Casser les œufs un à un au-dessus de la sauce.

Couvrir et cuire à feu moyen jusqu'à ce que les blancs soient fermes (environ 3 minutes).

Servir chaque œuf sur un toast recouvert de la sauce tomate.

# Quiche au brocoli

Pour 4 personnes
1 portion: 221 calories et 15,3 g de protéines

|  | Cal. | Prot. |
|---|---|---|
| 1 c. à thé d'huile | 41 | |
| 4 tranches de pain de grain entier | 220 | 9,6 |
| 2 t. (480 ml) de brocoli haché, | 80 | 9,6 |
| légèrement cuit à la vapeur | | |
| (3 branches moyennes) | | |
| 2 c. à soupe d'oignon émincé | 8 | 0,4 |
| 4 œufs | 328 | 26,0 |
| ½ c. à thé de sel | | |
| ½ c. à thé de Harissa (facultatif)[1] | | |
| ½ t. (120 ml) de fromage râpé | 210 | 15,6 |
| (Jarlsberg ou Emmenthal) | | |
| | 887 | 61,2 |

Badigeonner d'huile un moule à tarte.

Tailler les tranches de pain en forme de cône et les disposer dans le moule. Mettre de côté les restes de pain.

Mettre le brocoli cuit sur les tranches de pain.

Battre ensemble les œufs, le sel et le Harissa et verser le mélange sur le brocoli.

Recouvrir de fromage.

Émietter les restes de pain et en parsemer la quiche.

Cuire au four à 400°F (200°C) de 25 à 30 minutes ou jusqu'à ce que la préparation soit cuite.

Trancher avec soin.

---

[1] Sauce piquante d'origine tunisienne.

# Ratatouille

Pour 2 personnes
1 portion: 215 calories et 15,6 g de protéines

|  | Cal. | Prot. |
|---|---|---|
| 1 c. à thé d'huile d'olive | 41 | |
| 2/3 t. (160 ml) d'oignon haché | 43 | 1,7 |
| 1 ou 2 gousses d'ail émincées | 4 | 0,2 |
| la moitié d'un poivron vert haché | 8 | 0,4 |
| 1 1/2 t. (360 ml) de tomates en conserve dans leur jus | 76 | 3,6 |
| 1 t. (240 ml) de champignons en tranches | 20 | 1,9 |
| 2 t. (480 ml) d'aubergines en tranches | 76 | 4,0 |
| 2 t. (480 ml) de courgettes (zucchini) en rondelles | 44 | 3,6 |
| 1 c. à thé de basilic | 4 | 0,2 |
| 1 feuille de laurier | | |
| 1/2 c. à thé de sel | | |
| 1 c. à thé de Harissa (facultatif) | | |
| 1 pincée de cayenne | | |
| 7 onces de tofu (200 g, soit un gros cube) coupé en tranches de 1/2″ d'épaisseur | 114 | 15,6 |
| | 430 | 31,2 |

Laver et trancher les légumes. Bien brosser la pelure des courgettes pour qu'elles ne soient pas graveleuses.

Dans une grande marmite, faire rissoler l'oignon, l'ail et le poivron vert.

Ajouter tous les autres ingrédients, sauf le tofu; assaisonner, couvrir et laisser mijoter environ 15 minutes ou jusqu'à ce que les légumes soient presque tendres.

# Soufflé au millet

**Pour 4 personnes**
**1 portion: 303 calories et 19 g de protéines**

| | | Cal. | Prot. |
|---|---|---|---|
| 2 | t. (480 ml) de millet cuit | 380 | 11,4 |
| | (voir mode de cuisson des céréales) | | |
| 5 | jaunes d'œufs | 295 | 13,5 |
| ¹/₂ | t. (120 ml) de Cheddar fort râpé | 227 | 14,0 |
| 1 | c. à thé de moutarde de Dijon | 5 | 0,3 |
| 1 | c. à thé de sel | | |
| 1 | c. à thé de paprika | 6 | 0,4 |
| 3 | c. à soupe d'oignon émincé | 12 | 0,6 |
| | cayenne | | |
| 1 | t. (240 ml) de tofu écrasé | 164 | 17,8 |
| ¹/₄ | t. (60 ml) d'eau | | |
| 5 | blancs d'œufs | 85 | 18,0 |
| 1 | c. à thé d'huile (pour huiler le moule) | 41 | |
| | | **1 215** | **76,0** |

Dans un grand bol, mélanger le millet, les jaunes d'œufs, le cheddar et les assaisonnements.

D'autre part, battre le tofu avec l'eau dans le mélangeur, jusqu'à l'obtention d'une crème épaisse et onctueuse. Mélanger celle-ci avec le millet et les œufs.

Battre les blancs d'œufs en neige, puis en cueillir une bonne cuillerée à soupe et la mélanger aux ingrédients. Incorporer très délicatement le restant des blancs d'œufs en soulevant le mélange (cette opération assure la légèreté du soufflé.) Faire chauffer le four à 350°F (180°C).

Verser avec précautions le mélange dans un moule à soufflé légèrement huilé.

Faire cuire au four à 350°F (180°C) de 50 à 55 minutes (ne jamais ouvrir le four pendant la cuisson.)

# Tarte mexicaine

Pour 4 personnes
1 portion: 258 calories et 15,3 g de protéines

|  |  | Cal. | Prot. |
|---|---|---|---|
| 1 t. (240 ml) de tofu écrasé | | 164 | 17,8 |
| 1¹/₃ t. (320 ml) de haricots Pinto ou de haricots rouges cuits | | 440 | 29,3 |
| 1 petite boîte de 5¹/₂ onces (156 ml) de purée de tomates | | 126 | 5,2 |
| 2 c. à soupe de shoyu | | 24 | 0,2 |
| ¹/₄ t. (60 ml) d'oignon émincé | | 16 | 0,6 |
| 2 piments verts forts, émincés ou | | 8 | 0,2 |
| ¹/₄ t. (60 ml) de poivrons émincés, assaisonnés de cayenne | | | |
| ¹/₂ c. à thé de basilic | | 2 | 0,1 |
| ¹/₄ c. à thé d'origan | | 1 | |
| 16 olives grecques dénoyautées | | 142 | 0,9 |
| ¹/₄ t. (60 ml) de fromage râpé | | 112 | 7,0 |
| | | 1 035 | 61,3 |

Réduire les haricots en purée et mélanger avec tous les autres ingrédients, sauf les olives et le fromage.

Verser cette garniture dans un fond de tarte au fromage (voir recette p. 164) déjà cuit. Garnir des olives et du fromage.

Cuire au four à 375°F (190°C) pendant 25 minutes. Laisser refroidir pendant 5 minutes avant de servir.

### Note
Particulièrement savoureuse, cette tarte possède un air de fête qui vous met l'eau à la bouche. Le plat tout désigné pour les soirées entre amis.

# Tofu mariné

**Pour 2 personnes**
**1 portion: environ 92 calories et 7,8 g de protéines**

|  | Cal. | Prot. |
|---|---|---|
| ½ t. (120 ml) d'eau | | |
| 3 c. à soupe de shoyu | | |
| 3 ou 4 gouttes d'huile de sésame | | |
| 1 c. à thé d'huile | 41 | |
| 7 onces de tofu, soit 1 gros cube | 144 | 15,6 |
| | 185 | 15,6 |

Couper le tofu en petits carrés de 1½″ de côté et d'environ ¼″ d'épais. Placer au fond d'un plat peu profond.

Verser la sauce sur le tofu et laisser mariner pendant au moins 30 minutes.

Badigeonner une tôle à biscuits avec 1 c. à thé d'huile. Y disposer le tofu et cuire à 375°F (190°C) de 30 à 45 minutes jusqu'à ce qu'il ait suffisamment bruni.

**Note**
Conservez la sauce: elle peut être réutilisée.

# Salades

## Les salades d'accompagnement

### Salade Canari

**Pour 2 personnes**
**1 portion: 220 calories et 18,2 g de protéines**

| | Cal. | Prot. |
|---|---|---|
| 4 œufs durs hachés | 328 | 26,0 |
| 1/2 poivron vert haché menu | 8 | 0,4 |
| 1 branche de céleri haché menu | 7 | 0,4 |
| 2 c. à soupe d'oignon émincé | 8 | 0,4 |
| 2 c. à soupe de cornichons marinés aigres | 5 | 0,2 |
| 1/2 t. (120 ml) de tofu écrasé | 82 | 8,9 |
| 1/4 t. (60 ml) du liquide des cornichons | | |
| 1/2 c. à thé de moutarde de Dijon | 2 | 0,1 |
| 1/4 c. à thé de sel | | |
| | 440 | 36,4 |

Mélanger les œufs et les légumes.

Battre dans le mélangeur le tofu, le liquide des cornichons, la moutarde et le sel, puis mêler avec les autres ingrédients. Réfrigérer.

Servir sur des feuilles de laitue ou sur un nid de germes de luzerne.

# Salade de carottes

**Pour 2 personnes**
**1 portion: 55 calories et 1,3 g de protéines**

|  | Cal. | Prot. |
|---|---|---|
| 2 t. (480 ml) de carottes râpées | 92 | 2,4 |
| 1 c. à soupe de persil frais haché menu | 2 | 0,1 |
| 1 c. à soupe de vinaigrette au shoyu et au citron | 16 | 0,2 |
|  | 110 | 2,7 |

Mélanger tous les ingrédients.

**Variante**
Pour varier, essayez cette salade de carottes avec la vinaigrette Trois-Étoiles (recette p. 147) ou la soyanaise (recette p. 153).

# Salade caucasienne

**Pour 2 personnes**
**1 portion: 62 calories et 4,9 g de protéines**

|  | Cal. | Prot. |
|---|---|---|
| 1 gros concombre | 45 | 2,7 |
| 2 c. à soupe d'oignon émincé (si désiré) | 8 | 0,4 |
| 2 c. à soupe de persil haché | 4 | 0,2 |
| 1/2 t. (120 ml) de vinaigrette au yoghourt (voir recette p. 146) | 67 | 6,6 |
|  | 124 | 9,9 |

Râper le concombre.

Mélanger tous les ingrédients, puis réfrigérer.

Servir dans de petits bols à salade.

# Salade confetti

**Pour 4 personnes**
**1 portion: 185 calories et 7,3 g de protéines**

| | Cal. | Prot. |
|---|---|---|
| 2 t. (480 ml) de riz brun cuit | 464 | 9,8 |
| (voir mode de cuisson p. 170) | | |
| 1 c. à thé d'huile d'olive | 41 | |
| 3 c. à soupe d'oignon émincé | 12 | 0,6 |
| ¹/₄ t. (60 ml) de céleri haché menu | 5 | 0,2 |
| ¹/₂ t. (120 ml) de carottes râpées | 23 | 0,6 |
| 3 c. à soupe de persil haché menu | 6 | 0,3 |
| ¹/₂ t. (120 ml) de petits pois (frais ou | 61 | 4,5 |
| congelés), cuits | | |
| 1 t. (240 ml) de vinaigrette au yoghourt | 135 | 13,2 |
| (voir recette p. 146) | | |
| | 743 | 29,2 |

Mélanger le riz encore chaud à l'huile d'olive.

Ajouter les autres ingrédients et mélanger délicatement.

Réfrigérer.

Quand la salade est refroidie, ajouter la vinaigrette.

Servir sur des feuilles de laitue.

# Salade d'épinards et de champignons

**Pour 4 personnes**
**1 portion: 39 calories et 4,4 g de protéines**

|  |  | Cal. | Prot. |
|---|---|---|---|
| 10 | onces (484 g) d'épinards (1 sac) | 72 | 9,2 |
| 1 | t. (240 ml) de champignons tranchés | 20 | 1,9 |
| 1/2 | t. (120 ml) de vinaigrette au yoghourt (voir recette p. 146) | 67 | 6,6 |
|  |  | 159 | 17,7 |

Laver les épinards, les assécher et les déchiqueter.

Ajouter les champignons et assaisonner de vinaigrette.

# Salade Mycos

**Pour 2 personnes**
**1 portion: 62 calories et 4 g de protéines**

|  |  | Cal. | Prot. |
|---|---|---|---|
| 2 | t. (480 ml) de champignons frais | 40 | 3,8 |
| 1/2 | t. (120 ml) de persil frais haché | 13 | 1,1 |
| 2 | c. à soupe d'oignon émincé | 8 | 0,4 |
| 1/2 | t. (120 ml) de vinaigrette au yoghourt (voir recette p. 146) | 64 | 2,8 |
|  |  | 125 | 8,1 |

Laver délicatement les champignons et les trancher. Les mêler aux autres ingrédients.

Servir dans de petits bols.

# Salade picolo

**Pour 3 personnes**
**1 portion: 43 calories et 4,3 g de protéines**

| | Cal. | Prot. |
|---|---|---|
| 2  t. (480 ml) de germes de luzerne | 82 | 10,2 |
| 1  poivron rouge doux, haché menu | 23 | 1,0 |
| 1/3  t. (160 ml) de persil haché | 17 | 1,4 |
| 1/4  t. (60 ml) d'oignons du printemps avec la tige, hachés | 9 | 0,3 |
| | 131 | 12,9 |

Mêler tous les ingrédients.

Assaisonner avec la vinaigrette California ou la vinaigrette au shoyu et au citron.


# Salade pourpre

**Pour 2 personnes**
**1 portion: 82 calories et 3,3 g de protéines**

| | Cal. | Prot. |
|---|---|---|
| 2  t. (480 ml) de chou rouge taillé en lanières ou haché menu | 56 | 3,6 |
| 1/4  t. (60 ml) d'oignon émincé | 16 | 0,6 |
| 1/3  t. (80 ml) de poivron vert haché | 26 | 0,3 |
| 1/4  t. (60 ml) de vinaigrette Trois-Étoiles | 67 | 2,2 |
| | 165 | 6,7 |

Mélanger tous les ingrédients.

# Salade pousse-pousse

**Pour 4 personnes**
**1 portion: 46 calories et 2,9 g de protéines**

|  |  | Cal. | Prot. |
|---|---|---|---|
| 2 t. (480 ml) de germes de haricots Mungo |  | 74 | 8,0 |
| la moitié d'un poivron rouge haché |  | 11 | 0,5 |
| ½ t. (120 ml) de maïs cuit (frais ou congelé) |  | 65 | 2,5 |
| 1 c. à soupe d'échalotes hachées |  | 2 | 0,1 |
| 1 c. à soupe d'oignons verts hachés |  | 2 | 0,1 |
| 3 c. à soupe de vinaigrette au shoyu et au citron |  | 32* | 0,4 |
|  |  | 186 | 11,6 |

Mélanger tous les ingrédients et les laisser mariner pendant une demi-heure avant de servir.

*Ce chiffre correspond en réalité à 2 c. à soupe de vinaigrette et non à 3, car les légumes n'absorberont pas tout le liquide.

# Salade verte du dimanche

**Pour 2 personnes**
**1 portion: 45 calories et 3,5 g de protéines**

| | Cal. | Prot. |
|---|---|---|
| 4 t. (960 ml) de laitue Boston ou de laitue en feuilles | 32 | 2,8 |
| 1 t. (240 ml) de champignons lavés et tranchés | 20 | 1,9 |
| ¹/₄ t. (60 ml) de persil frais haché | 15 | 0,5 |
| 2 endives de grosseur moyenne de (5″ à 7″ chacune) | 16 | 1,0 |
| 1 t. (240 ml) de cresson de fontaine | 7 | 0,8 |
| | 90 | 7,0 |

Rincer la verdure à l'eau claire et bien essorer.

Mêler tous les ingrédients dans un grand bol et assaisonner avec votre vinaigrette préférée.

**Note**
Nous avons haché la laitue dans cette recette afin de vous démontrer de façon précise la quantité minime de calories que renferment ces verdures, pour un volume donné. Maintenant que la démontration est faite, ne perdez pas votre temps à mesurer votre laitue et n'en gâchez pas l'apparence en employant un couteau. Déchiquetez librement vos verdures, et mangez-en tout votre saoul!

# Les salades-repas

Un des plaisirs de la cuisine végétarienne est de confectionner, au gré de son humeur, de son goût et de la saison, de succulentes salades qui constituent à elles seules un repas complet. Les légumes présentent des formes, des couleurs et des textures extrêmement variées: il suffit d'un peu d'imagination pour créer un plat qui ravira autant la vue que l'odorat et le palais. Mettez à contribution votre sens artistique et créez de petits chefs-d'œuvre culinaires.

Pour vous guider dans cette voie, voici quelques exemples de salades-repas attrayantes et, comme vous pouvez le constater, tout à fait abordables du point de vue des calories et des protéines.

# Salade printanière

Pour 1 personne
1 portion: 307 calories et 24,3 g de protéines

|  |  | Cal. | Prot. |
|---|---|---|---|
| 8 | pointes d'asperges cuites et refroidies | 16 | 1,4 |
| 1 | t. (240 ml) de laitue Boston ou romaine | 8 | 0,7 |
| 10 | radis moyens | 8 | 0,9 |
| 3/4 | t. (180 ml) de fromage Ricotta partiellement écrémé | 255 | 21,0 |
| 2 | c. à soupe de ciboulette fraîche hachée | 2 | 0,2 |
| 1 | c. à soupe de persil haché | 2 | 0,1 |
| 1 | c. à soupe de vinaigrette au shoyu et au citron | 16 | |
|  |  | 307 | 24,3 |

Laver et essorer la laitue et la disposer joliment sur l'assiette avec les pointes d'asperges et les radis.

Mélanger le fromage Ricotta avec le persil, la ciboulette et la vinaigrette, et disposer au centre de l'assiette parmi les légumes.

**Note**
Les feuilles de pissenlit (avant la floraison) et les jeunes feuilles de betterave, en plus d'être délicieuse, possèdent des qualités nutritives exceptionnelles. Elles ajouteront une note inédite à vos salades du printemps.

# Salade estivale

Pour 1 personne
1 portion: 261 calories et 19,6 g de protéines

| | Cal. | Prot. |
|---|---|---|
| 1 t. (240 ml) de laitue Boston | 8 | 0,7 |
| ½ t. (120 ml) de laitue romaine | 5 | 0,3 |
| ½ t. de chou-fleur, séparé en petits bouquets | 13 | 1,3 |
| ½ t. (120 ml) de brocoli (bourgeons floraux) | 38 | 4,2 |
| 1 tomate de grosseur moyenne | 27 | 1,4 |
| 1 œuf dur coupé en quartiers | 82 | 6,5 |
| ¼ t. (60 ml) de soyanaise (voir recette p. 153) | 78 | 4,6 |
| | 251 | 19,0 |

Laver et assécher les légumes. Disposer ceux-ci dans le saladier, garnir des quartiers d'œufs et déposer au milieu les cuillerées de sauce froide.

# Salade d'hiver

**Pour 1 personne**
**1 portion: 316 calories et 19,1 g de protéines**

| | Cal. | Prot. |
|---|---|---|
| 1 t. (240 ml) de chou rouge taillé en lanières | 22 | 1,4 |
| ¹/₂ t. (120 ml) de germes de luzerne | 20 | 2,5 |
| ¹/₂ t. (120 ml) de germes de haricots Mungo | 18 | 2,0 |
| ¹/₄ t. (60 ml) de Cheddar râpé | 112 | 7,0 |
| 1 c. à soupe de vinaigrette Trois-Étoiles | 14 | 0,4 |
| ¹/₂ t. (120 ml) de betteraves cuites, refroidies. | 27 | 0,9 |
| Croûtons de pain de blé entier (provenant d'une tranche) | 55 | 2,4 |
| 1 c. à soupe de graines de citrouille | 48 | 2,5 |
| | 316 | 19,1 |

D'abord, mélanger le chou, les germes, le fromage et la vinaigrette. Puis, disposer tout autour les tranches de betterave. Garnir de croûtons et de graines de citrouille.

### Variante
Si vous êtes amateur de choucroute, ajoutez-en à cette salade: les saveurs se marient très bien. (Un bon point pour la choucroute: elle est pauvre en calories et excellente pour la santé.)

# Salade grecque

Pour 1 personne
1 portion: 385 calories et 16,9 g de protéines

|  |  | Cal. | Prot. |
|---|---|---|---|
| 1 | t. (240 ml) de laitue | 8 | 0,7 |
| 1 | tomate moyenne, tranchée en rondelles | 27 | 1,4 |
| 1 | petit concombre tranché en rondelles | 25 | 1,5 |
|  | la moitié d'un poivron doux, rouge ou vert, détaillé en lanières | 8 | 0,4 |
| 2 | tranches d'oignon, séparées en rondelles | 4 | 0,2 |
| 3 | olives grecques de grosseur moyenne | 67 | 0,3 |
| 2 | petits piments verts forts (en conserve) | 3 | 0,1 |
| 3 | onces de fromage Feta | 225 | 12 |
| 1 | c. à soupe de persil émincé | 2 | 0,1 |
| 1/8 | c. à thé de basilic |  |  |
| 1/8 | c. à thé d'origan |  |  |
| 1 | c. à soupe de vinaigrette au shoyu et au citron (voir recette p. 145) | 16 | 0,2 |
|  |  | 385 | 16,9 |

Laver et sécher les feuilles de laitue. Les disposer sur le plat de service.

Disposer joliment les autres légumes et garnir au milieu de la tranche de Feta.

Saupoudrer les herbes aromatiques et verser la vinaigrette en filet.

**Note**

Comme vous pouvez le constater, le fromage Feta est assez riche en calories, compte tenu de sa valeur protéinique. N'en abusez pas! Une fois de temps à autre suffit.

# Salade moisson

Pour 1 personne
1 portion: 286 calories et 31,1 g de protéines

| | Cal. | Prot. |
|---|---|---|
| 1 t. (240 ml) de laitue Boston | 8 | 0,7 |
| 10 brins de cresson de fontaine | 2 | 0,2 |
| ¹/₂ t. de carottes râpées | 23 | 0,6 |
| 2 tranches d'oignon d'Espagne, défaites en rondelles | 4 | 0,2 |
| ³/₄ t. (180 ml) de fromage blanc (cottage) écrémé | 129 | 25,5 |
| 1 cornichon moyen, émincé | 7 | 0,5 |
| ¹/₂ t. (240 ml) de grains de maïs cuits, refroidis | 82 | 2,6 |
| ¹/₄ t. (60 ml) de vinaigrette California (voir recette p. 146) | 31 | 0,8 |
| | 286 | 31,1 |

Laver et assécher les verdures et les dresser dans le saladier avec les carottes et les rondelles d'oignons.

Mélanger le cornichon, le maïs et le fromage et disposer au centre de la salade.

Assaisonner de vinaigrette California.

# Salade Tokyo

**Pour 1 personne**
**1 portion: 269 calories et 23,5 g de protéines**

| | Cal. | Prot. |
|---|---|---|
| 1 t. (240 ml) de tofu émietté | 164 | 17,8 |
| 1/3 t. (80 ml) de céleri haché | 6 | 0,2 |
| 1/4 t. (60 ml) de poivron rouge haché | 7 | 0,3 |
| 2 c. à soupe d'oignons verts hachés | 4 | 0,2 |
| 1 gousse d'ail (facultatif) | 4 | 0,2 |
| 1 c. à soupe de shoyu | 12 | 1,0 |
| 1 c. à thé d'huile | 41 | |
| 1 c. à soupe de Torula ou de levure alimentaire | 23 | 3,1 |
| 1 t. (240 ml) de laitue Boston | 8 | 0,7 |
| | 269 | 23,5 |

Émietter le tofu avec les doigts, puis ajouter tous les autres ingrédients, sauf la levure. Bien mélanger.

Saupoudrer la levure sur le mélange et remuer délicatement.

Servir sur des feuilles de laitue.

**Note**
La levure de bière est riche en protéines, pauvre en calories et bourrée de vitamines du groupe B. Seule ombre au tableau: son goût, généralement amer, sauf dans cette recette où, Dieu seul sait pourquoi, la levure a un petit goût de revenez-y... Alors, profitez-en: toutes ces vitamines B sont merveilleuses pour votre peau et votre chevelure; elles vous donnent aussi un tonus imbattable.

# Vinaigrettes, sauces et tartinades

## Vinaigrette au shoyu et au citron

Donne ⅓ t. (80 ml) de vinaigrette
1 c. à soupe: 16 calories et 0,2 g de protéines

|  |  | Cal. | Prot. |
|---|---|---|---|
| 1 | c. à soupe de shoyu* | 12 | 1,0 |
| 2 | c. à thé d'huile d'olive | 82 | |
| 5 | c. à soupe de jus de citron fraîchement pressé (soit 1 citron) | 20 | 0,5 |
| 1 | gousse d'ail pressée (ou selon le goût) | 4 | 0,2 |
|  |  | 118 | 1,7 |

Mélanger tous les ingrédients.

Cette vinaigrette est particulièrement savoureuse sur de la laitue de Boston ou des artichauts.

*Le shoyu est une sauce soya naturelle d'origine japonaise qu'on appelle souvent à tort « tamari ».

# Vinaigrette au yoghourt

Donne environ 1 t. (240 ml)
1 c. à soupe: 8 calories et 0,8 g de protéines

|  | Cal. | Prot. |
|---|---|---|
| 1 t. (240 ml) de yoghourt nature | 127 | 13,0 |
| 1 c. à soupe de jus de citron | 4 | 0,1 |
| 1/4 c. à thé de sel | | |
| 1/2 c. à thé d'estragon | 2 | |
| 1 gousse d'ail pressée (ou selon le goût) | 2 | 0,1 |
| | 135 | 13,2 |

Mélanger tous les ingrédients.


# Vinaigrette California

Donne environ 1 t. (240 ml) de vinaigrette
1/4 t. (60 ml): 38 calories et 1 g de protéines

|  | Cal. | Prot. |
|---|---|---|
| 1 t. (240 ml) de tomates en conserve, avec leur jus | 51 | 2,4 |
| 1/4 t. (60 ml) de pulpe d'avocat | 92 | 1,1 |
| 1/4 c. à thé de sel | | |
| 1 c. à soupe de jus de citron | 4 | 0,1 |
| 1 ou 2 gousses d'ail au goût | 4 | 0,2 |
| 1 c. à thé de basilic | 4 | 0,2 |
| | 155 | 4,0 |

Battre tous les ingrédients dans le mélangeur.

# Vinaigrette Trois-Étoiles

**Donne environ 1 tasse**
**1 c. à soupe: 16 calories et 0,5 g de protéines**

| | Cal. | Prot. |
|---|---|---|
| 2 c. à soupe de farine | 50 | 2,0 |
| ¹/₄ c. à thé de paprika | | |
| ¹/₂ c. à thé de sel | | |
| ¹/₂ t. (120 ml) d'eau froide | | |
| 1 c. à thé de miel | 21 | min. |
| 1 œuf | 82 | 6,5 |
| ¹/₄ t. (60 ml) de vinaigre de vin | 8 | min. |
| 1 c. à soupe de beurre | 102 | 0,1 |
| 1 c. à thé de moutarde de Dijon | 5 | 0,3 |
| | 268 | 8,9 |

Mêler la farine, le paprika et le sel.

Dissoudre le miel dans l'eau et verser sur les ingrédients secs.

Dans un petit chaudron, battre ensemble l'œuf et le vinaigre. Ajouter le mélange farine-eau.

Cuire pendant 3 ou 4 minutes, jusqu'à ce que la sauce épaississe, en remuant vivement au fouet (attention: ne pas laisser roussir le fond.)

Ajouter le beurre fondu et la moutarde, et remuer.

Garder au réfrigérateur.

Cette vinaigrette est particulièrement délicieuse sur de la salade de chou ou de pommes de terre.

**Note**
Vous pouvez vous servir d'un bain-marie pour cette recette, mais ce n'est pas absolument nécessaire si vous prenez soin de fouetter rapidement la sauce.

# Béchamel minceur

**Donne environ 1 tasse (240 ml) contenant 204 calories et 11,8 g de protéines**

|  | Cal. | Prot. |
|---|---|---|
| 1 c. à thé d'huile | 41 | |
| 3 c. à soupe de farine de blé entier | 75 | 3,0 |
| 1 t. (240 ml) de lait écrémé | 88 | 8,8 |
| ½ c. à thé de sel | | |
| 1 pincée de muscade ou de cayenne si désiré | | |
| | 204 | 11,8 |

Faire chauffer l'huile dans une petite casserole, puis ajouter la farine.

Verser un peu de lait et remuer vigoureusement pendant que le mélange épaissit.

En continuant de remuer à la cuiller de bois, ajouter peu à peu le reste du lait jusqu'à ce que la sauce prenne une consistance crémeuse.

Assaisonner.

# Sauce à l'oignon

**Donne 4 portions**
**1 portion: 36 calories et 1 g de protéines**

| | Cal. | Prot. |
|---|---|---|
| 1 c. à thé d'huile | 41 | |
| ²/₃ t. (160 ml) d'oignons hachés | 42 | 1,7 |
| 2 c. à soupe de farine de blé entier | 50 | 2,0 |
| 1 t. (240 ml) d'eau ou de bouillon de légumes | | |
| ¹/₄ c. à thé de sel | | |
| 1 c. à thé de shoyu | 4 | 0,3 |
| 1 c. à thé de moutarde de Dijon (facultatif) | 5 | 0,3 |
| | 142 | 4,3 |

Faire chauffer l'huile dans un poêlon et y faire blondir douce-ment les oignons en remuant de temps à autre (de 10 à 15 mi-nutes).

Saupoudrer la farine sur les oignons, augmenter le feu et remuer jusqu'à ce que la farine commence à brunir en exhalant une odeur de noix.

Mouiller d'un peu d'eau et remuer pendant que la sauce épais-sit; ajouter progressivement le reste du liquide en continuant de remuer la sauce jusqu'à ce qu'elle ait la consistance désirée. Assaisonner.

# Sauce tomate express

**Donne environ 2 tasses (480 ml)**
**$1/4$ t. (60 ml): 37 calories et 1,4 de protéines**

|  | Cal. | Prot. |
|---|---|---|
| 1 c. à thé d'huile d'olive | 41 | |
| $1/2$ t. (120 ml) d'oignon haché | 32 | 1,3 |
| 1 gousse d'ail (ou plus si désiré) | 4 | 0,2 |
| $1 1/2$ t. (360 ml) de tomates en conserve | 76 | 3,6 |
| 1 c. à thé de basilic | 1 | |
| 1 feuille de laurier | | |
| $1/2$ c. à thé de miel | 10 | |
| 1 c. à soupe de shoyu | 12 | 1,0 |
| 1 pincée de cayenne | | |
| 1 petite boîte de purée de tomates | 126 | 5,2 |
| ($5 1/2$ onces ou 156 ml) | | |
| | 302 | 11,3 |

Faire blondir l'oignon et l'ail dans l'huile. Ajouter les tomates en conserve et assaisonner.

Laisser mijoter pendant 5 minutes, puis ajouter la purée de tomates. Mélanger.

# Sauce velours aux champignons

**Donne 2 portions**
**1 portion: 146 calories et 12 g de protéines**

| | Cal. | Prot. |
|---|---|---|
| 1 t. (240 ml) de champignons tranchés | 20 | 1,9 |
| ¹/₂ t. (120 ml) d'oignons hachés | 32 | 1,3 |
| 1 c. à thé d'huile | 41 | |
| 1 t. (240 ml) de tofu pilé | 164 | 17,8 |
| ¹/₃ t. (80 ml) d'eau | | |
| 3 c. à soupe de shoyu ou plus selon le goût | 36 | 3,0 |
| | 293 | 24,0 |

Faire revenir les champignons et l'oignon dans l'huile.

Battre le tofu et l'eau dans le mélangeur jusqu'à l'obtention d'une crème épaisse et onctueuse.

Ajouter les légumes rissolés à la crème de tofu, puis assaisonner avec le shoyu tout en faisant chauffer à feu doux.

Servir sur des légumes, du riz, du millet, du sarrasin ou des nouilles.

# Simili-crème sure

**Donne 2 tasses (480 ml)**
**½ t. (120 ml): 75 calories et 16 g de protéines**

|  | Cal. | Prot. |
|---|---|---|
| 1 t. (240 ml) de fromage blanc (cottage) | 172 | 34,0 |
| 1 t. (240 ml) de yoghourt | 127 | 30,0 |
| ¼ c. à thé de sel | | |
| 1 c. à thé de jus de citron | 1 | |
| 1 c. à soupe de ciboulette | 1 | 0,1 |
| | 301 | 64,1 |

À la cuillère de bois ou dans le mélangeur, battre ensemble tous les ingrédients sauf la ciboulette, jusqu'à ce que le tout prenne une consistance onctueuse. Ajouter la ciboulette.

Servir sur des pommes de terre en robe des champs ou sur du chou à la bourguignonne (voir recette p. 109).

Excellent comme sauce trempette avec des légumes crus.

# Soyanaise

**Donne environ 1 t. (240 ml)**
**1 c. à soupe: 19 calories et 1,1 g de protéines ou**
**¼ t. (60 ml): 78 calories et 4,6 g de protéines**

| | Cal. | Prot. |
|---|---|---|
| 1 t. de tofu écrasé | 164 | 17,8 |
| 2 c. à soupe de jus de citron ou de vinaigre | 8 | 0,2 |
| 1 c. à soupe d'huile | 124 | |
| 1 c. à soupe d'eau | | |
| ½ c. à thé de sel | | |
| ½ c. à thé de moutarde de Dijon, ou plus selon le goût (facultatif) | 5 | 0,3 |
| 1 gousse d'ail (facultatif) | 4 | 0,2 |
| ½ c. à thé de miel (facultatif) | 10 | |
| | 315 | 18,5 |

Battre tous les ingrédients dans le mélangeur jusqu'à ce que vous obteniez un mélange homogène et crémeux (au besoin, pousser les ingrédients dans les lames du mélangeur à l'aide d'une spatule en caoutchouc.)

Ajouter l'un ou l'autre des ingrédients facultatifs.

# Tartinade au tofu

Mêmes ingrédients que la recette précédente, sauf l'eau.

Ajouter à la soyanaise un ou plusieurs ingrédients de la liste suivante:

- 10 olives noires hachées
- 2 c. à soupe d'échalotes émincées
- ½ t. (120 ml) de fromage râpé
- ½ t. (120 ml) de céleri haché menu
- ½ t. (120 ml) de fromage Cheddar fort, râpé
- 1 c. à soupe de persil

Excellent comme garniture de sandwich ou sur des craquelins. On peut aussi s'en servir comme trempette avec des légumes crus. Par exemple, omettre le sel et farcir de cette préparation des bâtons de céleri. Saupoudrer de gomasio.

# Tartinade Georgia

**Pour 1 personne**
**1 portion: 155 calories et 8,9 g de protéines**

|  | Cal. | Prot. |
|---|---|---|
| 1 c. à soupe de beurre d'arachides | 93 | 4,4 |
| ¼ t. (60 ml) de tofu | 41 | 4,5 |
| 1 c. à thé de miel | 21 | min. |
|  | 155 | 8,9 |

Piler le tofu et bien lier avec les autres ingrédients.

**Variante**
Remplacer le miel par 1 c. à thé de shoyu.

**Note**
Ayez soin de n'acheter que du vrai beurre d'arachides, celui qui ne contient que des arachides. « L'autre » contient en plus du sucre en poudre, de la dextrose, du sel et autres ingrédients du même genre. Lisez toujours les étiquettes des produits que vous achetez: elles sont révélatrices!

# Gomasio — (sel de sésame)

**Donne environ 1¹/₄ t. (300 ml)**
**1 c. à thé: 11 calories et 0,3 g de protéines**

|  | Cal. | Prot. |
|---|---|---|
| ⁷/₈ t. (210 ml) de graines de sésame | 714 | 23,6 |
| ¹/₈ t. (30 ml) de sel de mer | | |

Mettre les graines et le sel dans une poêle non huilée et faire chauffer à feu moyen en remuant sans arrêt, jusqu'à ce que les graines brunissent légèrement et qu'elles exhalent un arôme caractéristique de noix.

Moudre finement.

Dans la méthode traditionnelle, on emploie un suribachi (mortier de terre cuite dont l'intérieur est finement dentelé). À défaut de cet accessoire, un mélangeur fait tout aussi bien l'affaire.

Conserver le gomasio au réfrigérateur, dans un contenant hermétiquement fermé. Le mettre sur la table au moment des repas.

Le gomasio est une façon délicieuse de réduire la consommation de sodium et de gras dans votre alimentation quotidienne. Ainsi, au lieu d'employer du sel et du beurre ou de la margarine, saupoudrez un peu de gomasio sur vos légumes cuits.

# Muffins, pains et pâte à tarte

---

## Levain

---

  2 t. (240 ml) de farine de seigle entier
1½ t. d'eau tiède
  1 c. à soupe de levure active sèche
  1 gousse d'ail

Mélanger tous les ingrédients dans un contenant d'une pinte (un peu moins d'un litre).

Couvrir d'un linge et laisser dans un endroit chaud (environ 30°C) pendant 3 ou 4 jours. Des bulles se formeront, signe normal d'activité, et le levain dégagera une odeur agréable de fermentation.

S'il prend une teinte rose ou orangée, jetez le levain et recommencez.

Au bout de 3 ou 4 jours, votre levain est prêt. (Jetez la gousse d'ail.)

Conservez-le au réfrigérateur dans un contenant de plastique dont le couvercle est percé d'un trou. Lorsque vous prélevez du levain pour faire du pain, ayez soin de remettre dans le contenant une quantité égale de farine et d'eau (pour 1 t. de levain prélevée: ½ t. de farine et ½ t. d'eau).

Pour que votre levain demeure actif, employez-le au moins une fois par semaine, en veillant toujours à remplacer la quantité prélevée.

Si vous n'avez pas employé de levain pendant une semaine, ajouter ½ t. (120 ml) de farine et ½ t. (120 ml) d'eau à la pâte et laissez le contenant hors du réfrigérateur pendant une nuit.

Au matin, remuez le tout et remettez le contenant dans le réfrigérateur

N'employez jamais de métal avec de la pâte acidulée; servez-vous plutôt de contenants de verre ou de céramique.

**Un conseil:**

Si vous n'avez encore jamais boulangé de la farine, commencez par faire du pain de blé entier. Lorsque vous aurez maîtrisé la technique, vous n'aurez aucune difficulté à réussir votre pain de seigle.

# Muffins aux fruits tropicaux

**Donne 12 muffins**
**1 muffin: 119 calories et 3,3 g de protéines**

|  | | Cal. | Prot. |
|---|---|---|---|
| 2 | bananes mûres de grosseur moyenne | 202 | 2,6 |
| 2 | c. à soupe de beurre | 204 | 0,2 |
| 1 | œuf | 82 | 6,5 |
| 1/2 | t. (120 ml) de lait écrémé | 44 | 4,4 |
| 1 1/2 | t. de farine de blé entier à pâtisserie | 598 | 23,8 |
| 2 | c. à thé de levure chimique | | |
| 10 | dattes dénoyautées hachées | 219 | 1,8 |
| 2 | tranches d'ananas séché non sucrées* | 81 | 0,6 |
| | | **1 430** | **39,9** |

Réduire les bananes en purée. Battre en crème avec le beurre, puis l'œuf. Ajouter le lait et bien mélanger.

Mêler la farine et la levure; ajouter les fruits secs et mélanger.

Mélanger les ingrédients secs aux ingrédients liquides et battre rapidement, juste assez pour que la pâte se forme.

Déposer une cuillerée à soupe de pâte dans chaque moule à muffin recouvert d'un papier gaufré.

Cuire au four de 20 à 25 minutes à 350°F (180°C).

---

*À défaut d'ananas, on peut employer 1/4 t. (60 ml) d'abricots séchés hachés ou 1/4 t. (60 ml) de raisins secs.

# Pain de seigle au levain

**1 gros pain de 24 tranches**
**1 tranche: 100 calories et 4,3 g de protéines**

| | Cal. | Prot. |
|---|---|---|
| 1 t. (240 ml) de levain | 314 | 15,75 |
| 1 t. (240 ml) d'eau tiède | | |
| 1 c. à soupe d'huile | 124 | |
| 2 c. à soupe de mélasse | 100 | |
| 1 c. à thé de sel | | |
| 1 t. (240 ml) de farine de blé entier | 400 | 16,0 |
| 3¹/₂ t. (360 ml) de farine de seigle entier (quantité approximative) | 1 466 | 73,5 |
| | 2 404 | 105,2 |

Mélanger le levain, l'eau, l'huile, la mélasse, le sel, la farine de blé entier et ¹/₂ t. (120 ml) de farine de seigle.

Battre une centaine de fois à la cuiller de bois.

Ajouter suffisamment de farine de seigle pour que la pâte soit pétrissable. Pétrir de 5 à 10 minutes en incorporant progressivement la farine de seigle, jusqu'à ce que la pâte soit ferme et qu'elle ne colle plus aux doigts.

Mettre la pâte dans un bol bien huilé et retournez-la pour que le dessus soit recouvert d'une pellicule d'huile. Couvrir d'un linge humide et laisser la pâte lever pendant 3¹/₂ heures ou jusqu'à ce qu'elle ait doublé de volume (il est important que la pièce soit chaude et à l'abri des courants d'air: un rebord de fenêtre ensoleillé est tout indiqué pour faire lever de la pâte.)

Enfoncer le poing dans la pâte pour en faire sortir l'air et former une belle miche ronde.

Placer la pâte dans un moule en verre ou en céramique bien huilé et fariné. Badigeonner d'huile le dessus de la miche et couvrir d'un linge humide. Laisser lever pendant 2 heures ou jusqu'à ce que le volume de la pâte ait doublé.

Cuire au four à 350°F (180°C) pendant 1 heure.

Il n'y a rien de plus délicieux et de plus sain qu'un vrai bon pain de seigle. C'est aussi un aliment particulièrement nourrissant. Alors, n'ayez crainte: vous ne serez jamais capable d'en manger trop!

# Pain riche en protéines

**Donne 2 pains de 20 tranches chacun**
**1 tranche: 77 calories et 4,9 g de protéines**

| | | Cal. | Prot. |
|---|---|---|---|
| 1/4 | t. (60 ml) d'eau tiède | | |
| 1 | c. à soupe de mélasse | 50 | |
| 2 | c. à soupe de levure | 40 | 5,2 |
| 1 | t. (240 ml) de farine de soya dégraissée | 326 | 47,0 |
| 2/3 | t. (160 ml) de farine de gluten | 352 | 36,6 |
| 1/2 | t. (120 ml) de lait écrémé en poudre | 218 | 21,5 |
| 1/4 | t. (60 ml) de levure Torula | 92 | 12,4 |
| 1 | t. (240 ml) de farine de blé entier | 400 | 16,0 |
| 2 | t. (480 ml) d'eau tiède | | |
| 2 | c. à soupe d'huile | 248 | |
| 1 | c. à thé de sel | | |
| 2 | œufs | 164 | 13,0 |
| 3 | t. (720 ml) de farine de blé entier | 1 200 | 48,0 |
| | | 3 090 | 199,7 |

Dissoudre la levure et la mélasse dans l'eau tiède.

Entre-temps, mêler les farines de soya et de gluten, le lait en poudre, la levure et une tasse de farine de blé entier.

Dans un grand bol, mélanger les deux tasses (480 ml) d'eau tiède, l'huile, le sel et les œufs; ajouter la levure gonflée, puis à peu près la moitié du mélange de farines.

Battre une centaine de fois à la cuillère de bois, ou jusqu'à ce que la pâte soit homogène et élastique.

Ajouter le reste du mélange de farine et suffisamment de farine de blé entier pour que la pâte soit pétrissable.

Pétrir de 5 à 10 minutes tout en incorporant graduellement autant de farine qu'il sera nécessaire pour obtenir une pâte ferme, qui ne colle pas aux doigts.

Placer la pâte dans un bol badigeonné d'huile, couvrir celui-ci d'un lingue humecté et laisser lever dans un endroit modérément chaud, jusqu'à ce que le volume de la pâte ait doublé.

Dégonfler la pâte en y enfonçant le poing, puis la façonner en deux miches. Placer celles-ci dans des moules à pain badigeonnés d'huile.

Laisser lever jusqu'à ce que le volume ait doublé.

Cuire au four à 350°F (180°C) pendant 45 minutes.

Laisser refroidir sur une claie avant de servir. (Peut être congelé.)

**Note**

La farine de soya a tendance a brunir très rapidement. Si vous constatez que le pain colore trop vite, recouvrez le dessus des miches d'une couche de papier d'aluminium pendant les 15 dernières minutes de cuisson.

Même s'il est riche en protéines, ce pain est étonnamment léger et se tranche facilement, sans s'émietter.

# Pâte à tarte au fromage

**1 croûte: 499 calories et 24 g de protéines**

| | Cal. | Prot. |
|---|---|---|
| ½ t. (120 ml) de farine de blé entier à pâtisserie | 248 | 7,0 |
| ¼ c. à thé de sel | | |
| ½ t. (120 ml) de fromage blanc (cottage) écrémé | 86 | 17,0 |
| 1 c. à soupe d'huile | 124 | |
| 1 c. à soupe d'eau froide | | |
| 1 c. à thé d'huile (pour en badigeonner le moule) | 41 | |
| | **499** | **24,0** |

Mêler la farine et le sel.

Battre en crème la cuillerée à soupe d'huile, le fromage et l'eau.

Mélanger le fromage à la farine en travaillant avec deux fourchettes ou avec le mélangeur à pâte jusqu'à ce que celle-ci ait une texture grumeleuse mais homogène.

Abaisser la pâte au rouleau, entre deux feuilles de papier ciré. (Humecter légèrement la surface de la table ou la planche à pâtisserie afin que la feuille du dessous y adhère.)

Badigeonner d'une cuillerée à thé d'huile le moule à tarte.

Retirer délicatement la feuille du dessus, puis, après avoir renversé avec précaution l'autre feuille sur le moule, la retirer. Froncer le périmètre de la pâte et piquer le fond avec une fourchette, à plusieurs endroits.

Cuire au four à 375°F (190°C) pendant 15 minutes.

Remplir de garniture.

Pour empêcher que les bords de la tarte ne brunissent trop, recouvrir ceux-ci d'une bande de papier d'aluminium après les 5 premières minutes de la seconde cuisson.

# Sandwichs

---

## Croque-fromage

---

**Pour 2 personnes**
**1 portion: 183 calories et 10 g de protéines**

|  | Cal. | Prot. |
|---|---|---|
| 2 tranches de pain riche en protéines | 154 | 9,2 |
| ¼ t. (60 ml) de Cheddar râpé | 113 | 7,0 |
| 1 c. à soupe de graines de citrouille | 48 | 2,5 |
| 1 c. à soupe de graines de tournesol | 51 | 2,2 |
|  | 366 | 20,9 |

Parsemer chaque tranche de pain légèrement grillée de 2 c. à soupe de cheddar râpé et de la moitié des graines.

Cuire sous le gril jusqu'à ce que le fromage soit bien fondu et les graines rôties.

**Variante**
Avant de saupoudrer les graines sur le fromage, ajouter une tranche de tomate ou 1 c. à soupe d'oignons verts hachés.

# Pizza minute

**Pour 1 personne**
**1 portion: 152 calories et 11 g de protéines**

| | Cal. | Prot. |
|---|---|---|
| 1 tranches de pain de blé entier | 55 | 2,4 |
| 2 c. à soupe de sauce tomate express (voir recette p. 150) | 18 | 0,6 |
| 1 pincée d'origan | | |
| 1 once (28 g) de Mozzarella de lait écrémé | 79 | 8,0 |
| | 152 | 11,0 |

Couvrir de sauce tomate la tranche de pain légèrement grillée.

Saupoudrer d'origan et parsemer de fromage.

Cuire sous le gril de 2 à 3 minutes pour que le fromage fonde.


# Sandwich Noémi

**Pour 1 personne**
**1 portion: 333 calories et 23,8 g de protéines**

| | Cal. | Prot. |
|---|---|---|
| 2 tranches de pain riche en protéines (voir recette p. 162) | 154 | 9,8 |
| 1 portion de tartinade Georgia modifiée (voir recette originale p. 155) | 138 | 8,9 |
| 1 t. (240 ml) de germes de luzerne | 41 | 5,1 |
| | 333 | 23,8 |

Dans la recette de tartinade, remplacer le miel par 1 c. à thé de shoyu (et de l'ail, si désiré).

Étendre la tartinade sur le pain et garnir de germes de luzerne.

# Les modes de cuisson

## Légumineuses

Les gens qui pénètrent pour la première fois dans un magasin d'aliments sains sont souvent étonnés par la grande variété de légumineuses qui y est offerte. En dépit de cette diversité, le mode de cuisson est à peu près le même pour toutes les espèces.

En fait, les seules différences résident dans le temps de trempage et de cuisson. Certaines variétés à cuisson lente, telles que les fèves de soya, les pois chiches et les haricots noirs, doivent absolument tremper dans l'eau pendant au moins huit heures avant d'être cuites. Bien qu'il soit recommandé pour tous les légumes secs, le trempage peut cependant être évité dans le cas des haricots rouges, des haricots Pinto ou Great Northern, des petits haricots de Lima, des doliques à œil noir et autres variétés similaires. Voici comment.

**Méthode rapide**
1. Lavez les haricots à l'eau courante, puis jetez-les dans une grande marmite remplie d'eau. Couvrez et portez à ébullition.
2. Après deux minutes d'ébullition, retirez du feu et laissez reposer pendant une heure.
3. Jetez l'eau de trempage (ou mieux gardez-la pour vos plantes), recouvrez les haricots d'eau une seconde fois et laissez mijoter doucement, en remuant de temps à autre, jusqu'à ce que les haricots soient tendres. Ajoutez de l'eau au besoin.

Enfin, les lentilles et les pois cassés peuvent être mis à cuire sans trempage préalable.

Une fois que les haricots ont trempé dans l'eau, il suffit de les faire cuire de la façon expliquée au paragraphe n° 3 de la méthode rapide. Notez que toutes les variétés, à l'exception des pois cassés, peuvent être préparées dans l'autocuiseur.

Comme les légumineuses sont lentes à cuire (plus lente est la cuisson, meilleur est le résultat), une mijoteuse électrique rendra de précieux services à ceux qui travaillent à l'extérieur de la maison. Vous branchez l'appareil le matin et, lorsque vous rentrez le soir, le repas est prêt. Le jour où vous faites cuire votre pain, profitez-en pour mettre aussi vos haricots sur le feu.

Les restes de haricots, mis au réfrigérateur, se conservent pendant au moins une semaine. On peut s'en servir dans les soupes ou les salades, en faire des croquettes, des tartinades, des plats au four, ou encore les congeler.

Une façon originale d'apprêter les légumineuses consiste à les faire fermenter. Ajoutez aux légumes secs une bonne cuillerée à soupe de levain (voir recette p. 157) et laissez-les tremper dans un endroit plutôt chaud, pendant au moins huit heures. Rincez juste avant de cuire et procédez de la façon habituelle. Cette pratique donne bon goût aux haricots et semble les rendre plus digestibles.

# Artichauts

**La moitié d'un gros artichaut: 30 calories et 1,5 g de protéines**

Laver l'artichaut à l'eau courante.

Couper en deux dans le sens de la longueur.

À l'aide d'un petit couteau bien aiguisé, enlever la partie blanche fibreuse au centre du légume.

Mettre l'artichaut dans une casserole remplie de quelques centimètres d'eau, la face coupée du légumes vers le haut. Couvrir.

Porter à ébullition, puis réduire le feu et laisser cuire à la vapeur de 45 à 60 minutes (de 6 à 8 minutes dans une marmite à pression).

Pour voir si l'artichaut est cuit, arracher une des feuilles et y goûter.

**Comment servir l'artichaut**

Placer le légume dans l'assiette, les feuilles tournées vers l'extérieur.

On mange les feuilles une à une, en raclant leur partie charnue avec les dents. Au préalable, on peut tremper chaque bout de feuille dans du jus de citron ou dans une vinaigrette pauvre en calories. Gardez le cœur pour la fin: c'est un véritable délice. Si le légume est bien cuit, on peut aussi manger la tige.

Les artichauts sont fantastiques pour ceux qui suivent un régime. D'abord, parce qu'ils sont savoureux, bien sûr, mais surtout parce qu'ils sont si longs à manger!

# Riz brun

1 t. (240 ml) de riz
2 t. (480 ml) d'eau

Laver et trier le riz. Porter l'eau à ébullition. Y ajouter le riz et remuer une fois. Couvrir et mettre à feu doux.

Cuire à feu doux de 30 à 45 minutes ou jusqu'à ce que l'eau se soit complètement évaporée.

*Ne pas remuer:* cela rend le riz collant.

Pour vérifier si l'eau s'est évaporée, enfoncer un couteau jusqu'au fond de la casserole et y jeter un coup d'œil rapide.

# Autres céréales

| Céréale (1 tasse ou 240 ml) | Eau | | Temps de cuisson |
|---|---|---|---|
| Avoine (gruau) | 2 | t. | de 5 à 10 min |
| Boulghour à grains fins | 2 | t. | 10 min |
| Boulghour à grains moyens | 2 | t. | 20 min |
| Crème de riz | 4 | t. | de 5 à 10 min |
| Millet | 3 | t. | de 25 à 30 min |
| Orge | 2½ | t. | 60 min |
| Sarrasin | 2 | t. | de 15 à 20 min |
| Semoule de maïs | 3 | t. | de 5 à 10 min |

Porter l'eau à ébullition, verser les céréales en remuant. Réduire le feu et cuire jusqu'à ce que l'eau se soit évaporée.

**Flocons d'avoine, semoule de maïs et crème de riz:** remuer de temps à autre pendant la cuisson.

## Note
Beaucoup de gens n'aiment pas le riz brun à cause des petites coques dures qui restent parfois attachées au grain. Si tel est votre cas, achetez un riz brun de qualité supérieure (le « Lunberg » ou le « Lone Pine », par exemple), offert dans les magasins d'aliments sains: leur décorticage est impeccable.

# Liste des recettes

## Muffins, pains et pâte à tarte

## Sandwichs

# Teneur en protéines et en calories des aliments sains

## Légumes

| | Quantité | Poids en grammes | Calories | Protéines en grammes |
|---|---|---|---|---|
| **agar-agar** | | 100 | | 2,3 |
| **artichaut** cuit | 1 moyen | 100 | 44 | 2,8 |
| **asperge** | | | | |
| cuite | 4 pointes de ½″ de diamètre | 60 | 12 | 1,3 |
| crue, en tronçons | 1 t. (240 ml) | 135 | 35 | 3,4 |
| **aubergine** | | | | |
| cuite, en cubes | 1 t. (240 ml) | 200 | 38 | 2,0 |
| **bambou,** pousses de | | | | |
| crues, 1″ de long | 1 t. (240 ml) | 151 | 41 | 3,9 |
| **bette à carde** cuite | | | | |
| feuilles et tige | 1 t. (240 ml) | 145 | 26 | 2,6 |
| **betterave** cuite et pelée | 2 betteraves de 2″ de diamètre | 100 | 32 | 1,1 |
| en cubes ou en tranches | 1 t. (240 ml) | 170 | 54 | 1,9 |
| feuilles cuites (avec tige) | 1 t. (240 ml) | 145 | 26 | 2,5 |
| **brocoli** | | | | |
| cru | 1 lb | 454 | 145 | 16 |
| cuit | 1 pied moyen | 180 | 47 | 5,6 |
| morceaux de ½″ | 1 t. (240 ml) | 155 | 40 | 4,8 |
| **carotte** | | | | |
| crue, entière | 1 moyenne (7″ de long) | 72 | 30 | 0,8 |
| crue, râpée | 1 t. (240 ml) | 110 | 46 | 1,2 |
| cuites, en dés | 1 t. (240 ml) | 145 | 45 | 1,3 |
| jus | 1 t. (240 ml) | 227 | 96 | 2,4 |
| **céleri,** cru en dés | 1 t. (240 ml) | 120 | 20 | 1,1 |
| **champignons** crus | 1 t. (240 ml) | 70 | 20 | 1,9 |

| | Quantité | Poids en grammes | Calories | Protéines en grammes |
|---|---|---|---|---|
| **chou blanc pommé** | | | | |
| cru, en lanières | 1 t. (240 ml) | 70 | 17 | 0,9 |
| cuit, en lanières | 1 t. (240 ml) | 145 | 29 | 1,6 |
| **chou « collard » cuit** | | | | |
| (feuilles et tiges) | 1 t. (240 ml) | 145 | 42 | 3,9 |
| **choux de Bruxelles** | | | | |
| cuits | 1 t. (240 ml) (7 ou 8) | 155 | 56 | 6,5 |
| **chou de Chine cru** | | | | |
| (morceaux de 9″) | 1 t. (240 ml) | 75 | 11 | 0,9 |
| **chou-fleur** | | | | |
| (bourgeons floraux) | | | | |
| cru | 1 t. (240 ml) | 100 | 27 | 2,7 |
| cuit | 1 t. (240 ml) | 125 | 28 | 2,9 |
| **chou rouge cru,** | | | | |
| en lanières | 1 t. (240 ml) | 70 | 22 | 1,4 |
| **chou vert frisé** | | | | |
| feuilles cuites | 1 t. (240 ml) | 110 | 43 | 5,0 |
| **citrouille** | | | | |
| (en conserve) | 1 t. (240 ml) | 245 | 81 | 2,5 |
| **concombre cru** | | | | |
| tranché, non pelé | 1 t. (240 ml) | 105 | 16 | 0,9 |
| mariné, à l'aneth | 1 moyen $1^1/_4$″ de diamètre sur $3^3/_4$″ de long | 65 | 7 | 0,5 |
| **courge d'été crue** | 1 t. (240 ml) | 130 | 26 | 1,6 |
| **courge « Acorn »** | | | | |
| cuite | une moitié | 156 | 86 | 3,0 |
| **courge « Hubbard »** | | | | |
| cuite, en purée | 1 t. (240 ml) | 205 | 103 | 3,7 |
| **courgette (zucchini)** | | | | |
| crue | 1 t. (240 ml) | 130 | 22 | 1,6 |
| **cresson de fontaine** | 10 brins | 10 | 2 | 0,2 |
| **dulse** | | 100 | | 20% |
| **endives crues** | 1 pied moyen de 5″ à 7″ de long | 53 | 8 | 0,5 |
| **épinards** | | | | |
| crus, hachés | 1 t. (240 ml) | 55 | 14 | 1,8 |
| cuits | 1 t. (240 ml) | 180 | 41 | 5,4 |
| **feuilles de moutarde** | | | | |
| crues | 3,5 onces | 100 | 31 | 3,0 |
| cuites | 1 t. (240 ml) | 180 | 29 | 3,1 |
| **feuilles de navet** | | | | |
| cuites | 1 t. (240 ml) | 145 | 29 | 3,2 |

| | Quantité | Poids en grammes | Calories | Protéines en grammes |
|---|---|---|---|---|
| **feuilles de pissenlit** | | | | |
| crues | 3,5 onces | 100 | 45 | 2,7 |
| **laitue Boston** | | | | |
| crue, hachée | 1 t. (240 ml) | 55 | 8 | 0,7 |
| **laitue romaine** | | | | |
| hachée | 1 t. (240 ml) | 55 | 10 | 0,7 |
| **laitue Iceberg** | | | | |
| hachée | 1 t. (240 ml) | 75 | 10 | 0,7 |
| **haricots beurre** | | | | |
| cuits | 1 t. (240 ml) | 125 | 28 | 1,8 |
| **haricots de Lima** | | | | |
| verts, cuits | 1 t. (240 ml) | 170 | 189 | 13,0 |
| **haricots verts** cuits | | | | |
| (1″ de long) | 1 t. (240 ml) | 125 | 31 | 2,0 |
| **hijiki** | | 100 | | 5,6 |
| **maïs sucré** cuit | 1 t. (240 ml) | 165 | 137 | 5,3 |
| **navet** cuit, en dés | 1 t.(240 ml) | 155 | 36 | 1,2 |
| **nori** | | 100 | | 35,6 |
| **olives mûres** | | | | |
| grecques, salées | 10 grosses | 33 | 89 | 0,6 |
| vertes | 2 moyennes | 13 | 15 | 0,2 |
| **oignon** | | | | |
| cru, haché | 1 t. (240 ml) | 170 | 65 | 2,6 |
| cru, émincé | 1 c. à soupe | 10 | 4 | 0,2 |
| vert, haché | 1 c. à soupe | 6 | 2 | 0,1 |
| **panais** cuit, en dés | 1 t. (240 ml) | 155 | 102 | 2,3 |
| **patate** (douce) | | | | |
| cuite, en robe des champs | 1 patate | 114 | 161 | 2,4 |
| **persil** haché | 1 c. à soupe | 4 | 2 | 0,1 |
| **petits pois** cuits | 1 t. (240 ml) | 160 | 114 | 8,6 |
| **poireau** cru | 3 ou 4 5″ de long | 100 | 52 | 2,2 |
| **pois mange-tout** | 1 t. (240 ml) 30 cosses | 100 | 53 | 3,4 |
| **poivron rouge** cru | 1 moyen | 74 | 23 | 1,0 |
| **poivron vert** cru | 1 moyen | 74 | 16 | 0,9 |
| **pomme de terre** | | | | |
| crue, pelée, en dés | 1 t. (240 ml) | 150 | 114 | 3,2 |
| cuite avec la pelure | 1 moyenne (2¹/₂″ de diamètre) | 136 | 104 | 2,9 |
| **radis** crus, mûrs | 10 moyens | 45 | 8 | 0,5 |
| **rutabaga** | | | | |
| cuit, en dés | 1 t. (240 ml) | 170 | 60 | 1,5 |

| | Quantité | Poids en grammes | Calories | Protéines en grammes |
|---|---|---|---|---|
| **tomate** | | | | |
| crue, entière | 1 tomate 2³/s″ de diamètre | 123 | 27 | 1,4 |
| cuite | 1 t. (240 ml) | 241 | 63 | 3,1 |
| en purée | ¹/₄ t. (60 ml) | 57 | 46 | 1,9 |
| jus (en conserve) | 1 t. (240 ml) | 243 | 46 | 2,2 |
| **varech** | 1 c. à soupe | 14,2 | | 1,03 |

# Fruits

| | Quantité | Poids en grammes | Calories | Protéines en grammes |
|---|---|---|---|---|
| **abricot** | | | | |
| cru | 3 moyens | 114 | 55 | 1,1 |
| séché, non cuit | 1 t. (240 ml) | 130 | 338 | 6,5 |
| **ananas** cru | | | | |
| en cubes | 1 t. (240 ml) | 155 | 81 | 0,6 |
| **avocat** | | | | |
| cru, dénoyauté | 1 moyen | 200 | 334 | 4,2 |
| **banane** | | | | |
| entière, crue | 1 petite | 95 | 81 | 1,0 |
| | 1 grosse (9³/₄″ de long) | 136 | 116 | 1,5 |
| **bleuets** crus | 1 t. (240 ml) | 145 | 90 | 1,0 |
| **canneberges** crues | 1 t. (240 ml) | 95 | 44 | 0,4 |
| **cantaloup** cru | moiti d'un fruit de 5″ de diamètre | 272 | 82 | 1,9 |
| **cerises** crues | | | | |
| **griottes** (amères) dénoyautées | 1 t. (240 ml) | 155 | 90 | 1,9 |
| **guignes** (sucrées) | 10 | 75 | 47 | 0,9 |
| **dattes** dénoyautées | 10 moyennes | 80 | 219 | 1,8 |
| **figues** séchées, non cuites | 2 petites | 30 | 82 | 1,3 |
| **fraises** crues | 1 t. (240 ml) | 150 | 56 | 1,0 |
| **framboises** crues | 1 t. (240 ml) | 123 | 70 | 1,5 |
| **mangue** crue | 1 moyenne | 201 | 152 | 1,6 |
| **melon d'eau** cru | 1 tranche de 6″ de long sur 1¹/₂″ d'épais | 600 | 156 | 3,0 |
| en cubes | 1 t. (240 ml) | 160 | 42 | 0,8 |
| **mûres** crues | 1 t. (240 ml) | 144 | 84 | 1,7 |
| **nectarine** | 1 moyenne (2¹/₂″ de diamètre) | 138 | 88 | 0,8 |

| | Quantité | Poids en grammes | Calories | Protéines en grammes |
|---|---|---|---|---|
| **oranges** | | | | |
| de Californie | 1 moyenne (2⁷/₈″ de diamètre) | 140 | 71 | 1,8 |
| de Floride | 1 moyenne (2⁵/₈″ de diamètre) | 141 | 66 | 1,0 |
| **papaye** crue | 1 moyenne (3¹/₂″ sur 5¹/₈″ de diamètre) | 304 | 119 | 1,8 |
| **pêche** crue | 1 moyenne (2¹/₂″ de diamètre) | 115 | 38 | 0,6 |
| séchée | 1 t.(240 ml) | 160 | 419 | 5,0 |
| **pomme** | | | | |
| crue entière | 1 petite (2¹/₂″ de diamètre) | 106 | 61 | 0,2 |
| crue entière | 1 grosse (3¹/₂″ de diamètre) | 212 | 123 | 0,4 |
| séchée | 1 t. (240 ml) | 85 | 234 | 0,9 |
| compote non sucrée | 1 t. (240 ml) | 244 | 100 | 0,5 |
| **poire** | | | | |
| crue | 1 moyenne (3¹/₂″ sur 2¹/₂″) | 164 | 100 | 1,1 |
| séchée | 1 t. (240 ml) | 180 | 482 | 5,6 |
| **prune Damson** crue | 10 de 1″ de diamètre | 100 | 66 | 0,5 |
| **pruneaux** | | | | |
| séchés, non cuits | 1 t. (240 ml) | 100 | 344 | 3,3 |
| **raisins** crus | | | | |
| bleus, de Californie | 1 t. (240 ml) | 101 | 70 | 1,3 |
| **raisins secs** | | | | |
| sans pépins | 1 t. (240 ml) non tassés | 145 | 419 | 3,6 |
| | 1¹/₂ c. à soupe | 14 | 40 | 0,4 |
| **rhubarbe** crue | | | | |
| en cubes | 1 t. (240 ml) | 122 | 20 | 0,7 |
| **tangerine** | 1 moyenne (2³/₈″ de diamètre | 86 | 39 | 0,7 |

# Jus

| | Quantité | Poids en grammes | Calories | Protéines en grammes |
|---|---|---|---|---|
| **ananas** (non sucré) | 1 t. (240 ml) | 250 | 138 | 1,0 |
| **citron** | 1 c. à soupe | 15,2 | 4 | 0,1 |
| **lime** | 1 c. à soupe | 15,4 | 4 | min. |
| **orange** (frais) | 1 t. (240 ml) | 248 | 112 | 1,7 |
| **pomme** (non sucré) | 1 t. (240 ml) | 248 | 117 | 0,2 |
| **pruneau** (non sucré) | 1 t. (240 ml) | 256 | 197 | 1,0 |
| **raisins** (non sucré) | 1 t. (240 ml) | 253 | 167 | 0,5 |

# Céréales et farines

| | Quantité | Poids en grammes | Calories | Protéines en grammes |
|---|---|---|---|---|
| **avoine** | | | | |
| flocons crus | 1 t. (240 ml) | 80 | 312 | 11 |
| flocons cuits | 1 t. (240 ml) | 240 | 132 | 4,8 |
| **blé** | | | | |
| grains cuits (blé dur du printemps) | 1 t. (240 ml) | 67 | 221 | 9,4 |
| boulghour (avant cuisson) | 1 t. (240 ml) | 170 | 602 | 19,0 |
| son (entier) | 1 t. (240 ml) | 52 | 111 | 8,3 |
| | 1 c. à soupe | 3 | 7 | 0,5 |
| germe cru | 1 t. (240 ml) | 82 | 298 | 22,0 |
| | 1 c. à soupe | 6 | 23 | 1,8 |
| **millet** | | | | |
| grains entiers | 1/4 t. (60 ml) soit 1 t. (240 ml) après cuisson | 58 | 190 | 5,7 |
| **orge** | | | | |
| grains entiers | 1/4 t. (60 ml) 1 t. (240 ml) après cuisson | 58 | 266 | 7,6 |
| **riz brun** | | | | |
| grains longs cuits | 1 t. (240 ml) | 195 | 232 | 4,9 |
| **sarrasin** | | | | |
| grains entiers | 1/3 t. (80 ml) 1 t. (240 ml) après cuisson | 65 | 218 | 7,6 |
| **triticale** | 3,5 onces | 100 | 360 | 10,8 |

# Farines

| | Quantité | Poids en grammes | Calories | Protéines en grammes |
|---|---|---|---|---|
| **farine de blé entier** | | | | |
| à pâtisserie (blé mou) | 1 t. (240 ml)* | 148 | 496 | 14,0 |
| à pain (blé dur) | 1 t. (240 ml)* | 120 | 400 | 16,0 |
| **farine de maïs** tamisée | 1 t. (240 ml) | 117 | 431 | 9,1 |
| **semoule de maïs** non blutée | 1 t. (240 ml) | 122 | 433 | 11,0 |
| **farine de riz brune,** tamisée | 1 t. (240 ml)* | 120 | 432 | 9,0 |
| **farine de sarrasin** brune, tamisée | 1 t. (240 ml) | 98 | 326 | 12,0 |
| **farine de seigle brune** | 1 t. (240 ml) | 128 | 419 | 21,0 |
| **farine de soya** dégraissée | 1 t. (240 ml)* | 100 | 326 | 47,0 |
| **farine de triticale** | ● chiffres inconnus ● | | | |

*Les chiffres correspondent à une tasse (240 ml) de farine préalablement remuée (et non pressée) dans la tasse à mesurer.

# Légumineuses et germes

**Quantité:** 1 tasse (240 ml) à moins d'indications contraires

| | Poids en grammes | Calories | Protéines en grammes |
|---|---|---|---|
| **arachides:** voir « Noix et graines » | | | |
| **doliques à œil noir** (sèches) | 170 | 583 | 39,0 |
| cuites | 250 | 190 | 13,0 |
| **germes de lentilles** (crus) | 100 | 104 | 8,4 |
| **germes de luzerne** (crus) | 100 | 41 | 5,1 |
| **germes de soya** (crus) | 105 | 48 | 6,5 |
| **germes de haricots Mungo** (crus) | 105 | 37 | 4,0 |
| **haricots azuki** secs | 100 | 326 | 21,5 |
| **haricots de Lima** secs | 180 | 621 | 37,0 |
| cuits | 190 | 262 | 16,0 |
| **haricots Great Northern** secs | 180 | 612 | 40,0 |
| cuits | 180 | 212 | 14,0 |
| **haricots Mungo** secs | 210 | 714 | 51,0 |
| cuits | 105 | 355 | 25,0 |
| **haricots noirs** secs | 200 | 678 | 45,0 |
| cuits | 100 | 337 | 22,0 |
| **haricots Pinto** secs | 190 | 663 | 44,0 |
| cuits | 95 | 330 | 22,0 |
| **haricots rouges** secs | 185 | 635 | 42,0 |
| cuits | 185 | 218 | 14,0 |
| **lentilles sèches** | 190 | 646 | 47,0 |
| cuites | 200 | 212 | 16,0 |
| **petits haricots blancs** secs | 205 | 697 | 46,0 |
| **pois secs** (entiers) | 200 | 680 | 48,0 |
| cuits | 100 | 338 | 24,0 |
| **pois cassés,** secs | 200 | 230 | 16,0 |
| **pois chiches** secs | | | |
| cuits | 100 | 338 | 20,0 |

# Soya

| | Poids en grammes | Calories | Protéines en grammes |
|---|---|---|---|
| **fèves** sèches | 210 | 846 | 72,0 |
| cuites | 180 | 236 | 20,0 |
| **lait** | 226 | 75 | 7,7 |
| **produits fermentés** miso (1 c. à soupe) | 17 | 29 | 1,8 |
| natto | 100 | 758 | 76,7 |
| tempeh (frais) | 100 | 157 | (19,5%) |
| **tofu** (3,5 onces) | 100 | 72 | 7,8 |
| 1 t. (240 ml) (écrasé) | | 164 | 17,8 |

# Noix et graines

| | Quantité | Poids en grammes | Calories | Protéines en grammes |
|---|---|---|---|---|
| **amandes** entières | 1 t. (240 ml) | 142 | 849 | 26,0 |
| | 10 amandes | 10 | 60 | 1,9 |
| **arachides** | | | | |
| rôties avec la | 1 t. (240 ml) | 144 | 838 | 38,0 |
| membrane | 1 c. à soupe (hachées) | 9 | 52 | 2,4 |
| crues | 1 t. (240 ml) | | 844 | 38,9 |
| beurre d'arachide | 1 t. (240 ml) | 258 | 1 499 | 72,0 |
| (additionné d'un | 1 c. à soupe | 16 | 93 | 4,4 |
| peu de matières | | | | |
| grasses et de sel) | | | | |
| **avelines** | 1 t. (240 ml) | 135 | 856 | 17,0 |
| **cajous** | 1 t. (240 ml) | 140 | 785 | 24,1 |
| **châtaignes** | | | | |
| fraîches | 1 t. (240 ml) | 160 | 310 | 4,6 |
| | 10 châtaignes | 73 | 141 | 2,1 |
| séchées | 1 t. (240 ml) | 100 | 377 | 6,7 |
| **graines de citrouille ou de courge** | | | | |
| séchées | 1 t. (240 ml) | 140 | 774 | 41,0 |
| | 2 c. à soupe | 18 | 97 | 5,1 |
| **graines de sésame** | | | | |
| écalées | 1 t. (240 ml) | 150 | 873 | 27,3 |
| | 2 c. à soupe | 16 | 94 | 3,0 |
| **graines de tournesol** | 1 t. (240 ml) | 145 | 812 | 35,0 |
| | 2 c. à soupe | 18 | 102 | 4,4 |
| **noix de coco** | | | | |
| fraîche, râpée | 1 t. (240 ml) | 80 | 277 | 7,5 |
| séchée | 1 t. (240 ml) | 62 | 344 | 2,2 |
| lait de coco | 1 t. (240 ml) | 240 | 605 | 7,7 |
| obtenu à partir de la pulpe et du jus de coco | | | | |
| jus de coco | 1 t. (240 ml) | 240 | 53 | 0,7 |
| (liquide contenu dans la noix) | | | | |

| | Quantité | Poids en grammes | Calories | Protéines en grammes |
|---|---|---|---|---|
| **noix de Grenoble** | | | | |
| hachées | 1 t. (240 ml) | 125 | 785 | 26,0 |
| | 1 c. à soupe | | | |
| entières | 4 ou 5 moitiés | 8 | 50 | 1,6 |
| **noix d'hickory** | 10 noix | 14 | 87 | 1,7 |
| **noix du Brésil** | 3 grosses noix | 28 | 89 | 1,9 |
| **pacanes** | | | | |
| en moitiés | 1 t. (240 ml) | 108 | 742 | 9,9 |
| | 12 moitiés ou | | | |
| | 2 c. à soupe de | 15 | 104 | 1,4 |
| | pacanes hachées | | | |

Toutes les amandes, noix et graines figurant dans ce tableau sont écalées.

# Produits laitiers

| | Quantité | Poids en grammes | Calories | Protéines en grammes |
|---|---|---|---|---|
| **Fromages** | | | | |
| **Bleu** | 1 once | 28 | 103 | 6,0 |
| **Brick** | 1 once | 28 | 103 | 6,5 |
| **Brie** | 1 once | 28 | 95 | 6,0 |
| **Camembert** (non importé) | 1 once | 28 | 84 | 5,6 |
| **Cheddar américain** | 1 once | 28 | 112 | 7,0 |
| râpé | 1 t. (240 ml) | 113 | 455 | 28,0 |
| | 1 cube de 7 pouce carré | 17 | 68 | 4,3 |
| **Colby** | 1 once | 28 | 112 | 6,7 |
| **Cottage** | | | | |
| à la crème | 1 t. (240 ml) | 210 | 217 | 26,2 |
| 2% | 1 t. (240 ml) | 266 | 203 | 31,0 |
| écrémé, à grains secs | 1 t. (240 ml) | 200 | 172 | 34,0 |
| **Edam** | 1 once | 28 | 101 | 7,0 |
| **Feta** | 1 once | 28 | 75 | 4,0 |
| **Fromage à la crème** | 1 once | 28 | 105 | 2,2 |
| **Gouda** | 1 once | 28 | 101 | 7,0 |
| **Gruyère** | 1 once | 28 | 115 | 8,4 |
| **Limberger** | 1 once | 28 | 93 | 5,6 |
| **Monterey** | 1 once | 28 | 106 | 6,9 |
| **Mozzarella** | 1 once | 28 | 80 | 5,5 |
| partiellement écrémé | 1 once | 28 | 79 | 7,7 |
| **Münster** | 1 once | 28 | 104 | 6,6 |
| **Neufchatel** | 1 once | 28 | 74 | 0,3 |
| **Parmesan** | 1 once | 28 | 110 | 10,0 |
| râpé | 1 c. à soupe | 5 | 23 | 2,1 |
| **Port-Salut** | 1 once | 28 | 100 | 6,5 |
| **Ricotta** | 1 t. (240 ml) | 246 | 428 | 27,7 |
| part. écrémé | 1 t. (240 ml) | 246 | 340 | 28,0 |
| **Romano** | 1 once | 28 | 110 | 9,0 |

| | Quantité | Poids en grammes | Calories | Protéines en grammes |
|---|---|---|---|---|
| **Suisse** | | | | |
| non importé | 1 once ou | 28 | 105 | 7,8 |
| | ¼ t. (60 ml) | | | |
| | râpé | | | |
| | 1 tranche de | 14 | 52 | 3,9 |
| | 2 pouces carrés, | | | |
| | ¼″ d'épais | | | |
| | 1 cube de 1″ | 15 | 56 | 4,1 |
| | | | | |
| **crème sure** | 1 t. (240 ml) | 240 | 454 | 6,7 |
| **kéfir** (fait de lait | 1 t. (240 ml) | | 168 | 9,5 |
| entier | | | | |
| **lait de beurre** | 1 t. (240 ml) | 245 | 88 | 8,8 |
| (à partir de cultures) | | | | |
| écrémé | | | | |
| **lait de chèvre** | 1 t. (240 ml) | 244 | 163 | 7,8 |
| **lait de vache** | | | | |
| 3,5% m.g. | 1 t. (240 ml) | 244 | 159 | 8,5 |
| 2% m.g. | 1 t. (240 ml) | 246 | 145 | 10,0 |
| écrémé | 1 t. (240 ml) | 245 | 88 | 8,8 |
| en poudre 100% | 1 t. (240 ml) | 128 | 643 | 34,0 |
| ordinaire | | | | |
| sans gras | 1 t. (240 ml) | 120 | 436 | 43,0 |
| (ordinaire) | | | | |
| **œufs** | 1 petit | 40 | 65 | 5,2 |
| | 1 gros | 50 | 82 | 6,5 |
| **yoghourt** | | | | |
| nature | 8 onces | 227 | 139 | 7,8 |
| contenant peu de | | | | |
| matières graisses, | | | | |
| nature | 8 onces | 227 | 127 | 13,0 |
| écrémé contenant | | | | |
| des solides de | | | | |
| lait | | | | |
| non gras, nature | 8 onces | 227 | 144 | 11,9 |

# Pains et pâtes alimentaires

| | Quantité | Poids en grammes | Calories | Protéines en grammes |
|---|---|---|---|---|
| **pain de blé entier** du commerce | 1 tranche | 23 | 56 | 2,4 |
| **pain de seigle au levain** (notre recette) | 1 tranche | | 100 | 4,3 |
| **pain riche en protéines** (notre recette) | 1 tranche | | 77 | 4,6 |
| **pâtes alimentaires de blé entier\*** | 4 onces | 113 | 400 | 20,0 |

\*Pâtes de marque Erewhon, faites à 96% de farine de blé Duram et à 4% de poudre de légumes.

# Produits sucrés

| | | | | |
|---|---|---|---|---|
| **caroube** | ¼ t. (60 ml) | 35 | 63 | 1,6 |
| **malt séché** | 1 once | 28 | 104 | 1,7 |
| **mélasse** | | | | |
| légère | 1 c. à soupe | 20 | 50 | 0 |
| pure, dite « Blackstrap » | 1 c. à soupe | 20 | 43 | 0 |
| **miel** | 1 c. à soupe | 21 | 64 | 0,1 |
| **sirop d'érable** | 1 c. à soupe | 20 | 50 | 0 |

# Beurre et huiles

| | | | | |
|---|---|---|---|---|
| **beurre** | 1 c. à soupe | 11,2 | 102 | 0,1 |
| | 1 t. (240 ml) | 227 | 1 625 | 1,4 |
| **huile d'arachide** | 1 c. à soupe | 14 | 124 | min. |
| **huile de maïs** | 1 c. à soupe | 14 | 126 | 0 |
| **huile d'olive** | 1 c. à soupe | 14 | 126 | 0 |
| **huile de sésame** | 1 c. à soupe | 14 | 120 | min. |
| **huile de tournesol** | 1 c.à soupe | 14 | 124 | min. |

Si tu savais déguster ton plaisir
plutôt/que de satisfaire ton plaisir
Tu y découvrirais ton âme.

Achevé d'imprimer au Canada
sur les presses de
l'Imprimerie Gagné Ltée
Louiseville